Esperanto

A Complete Grammar

by

Ivy Kellerman Reed, Ph. D.

The Scarecrow Press, Inc.
Metuchen, N. J.   1968

Contents

Foreword
by
Mario Pei

Esperanto is only one of many possible solutions for a problem that poses itself increasingly as we approach the end of the twentieth century. The problem is that of a common means of linguistic communication for a world that has grown very small in the course of the last fifty years. As people leave their own speaking areas in ever-growing numbers, for all sorts of purposes, they find themselves faced with language differences that preclude communication and cooperation and interfere with comfort, convenience, and the speed that modern affairs require. The problem, first envisaged by Descartes in the seventeenth century, is rapidly coming to a head. By the year 2000, if not before, a solution will be imperative, and will impose itself upon the world's peoples and governments.

Outwardly, the problem is simple. All we need is one language, imparted in all civilized nations from kindergarten on, on a basis of parity with the national languages. This will mean that any person, traveling to any area on earth, outside of a few still backward regions whose number is constantly diminishing, will find the local inhabitants speaking, with fluency and ease, one of the two languages he himself speaks. That this is not at all impossible is proved by the many bilingual and multilingual people in the world today, and by the fact that foreign languages are extensively taught in all civilized nations. The only trouble with the present system is that all the people are not taught the same foreign language.

The difficulty lies not in the principle, but in the choice. There are in the world over 3000 natural tongues, supplemented by at least 1000 constructed languages that have been offered since the days of Descartes. Which shall it be? The choice is simplified by the fact that of the 3000 natural tongues only a hundred or so are extensive enough to have over one million speakers, and that the majority of constructed languages have features that lead to their exclusion, as indicated by the fact that they have no following outside of their creators.

Three major problems arise in connection with natural languages: (1) They are normally heavily dialectalized, even where they have standard, official forms. Some of the leading contenders, English and Spanish among them, lack even a universally recognized standard form. This means that if a natural language is selected for international use, it must be given a standard, official form; this will tend to differentiate it from the language spoken by its native speakers. (2) No natural language is fully phonetized, with precise correspondence between spoken and written form. Here again some of the leading contenders, English and French among them, are the worst sinners. Again, if a natural language is selected, it will have to be given precise phonetic correspondence between speech and writing; this will differentiate the language still further from the one spoken locally. (3) Most important of all, natural languages are viewed, rightly or wrongly, as the vehicles of national cultures, points of view, and ideologies. This means that a Russian or Chinese, who will willingly learn English as a foreign tongue, will balk at accepting it as a fully international medium; an American will in like manner reject the international use of Russian or Chinese.

Constructed languages escape this threefold drawback, being normally fully standardized and phonetized, and being "neutral" in the sense that they don't belong to any nation or group in particular, though they may lean more heavily in the direction of certain language families than of others. This does not seem to constitute a major obstacle, as evidenced by the ready acceptance of such tongues as Esperanto by speakers of Oriental and African languages.

The drawbacks of constructed tongues are largely imaginary. The most common criticism is that they do not have "grass roots" and a "cultural" background. The true grass roots and cultural background of such constructed tongues as Esperanto lie in the fact that they are drawn from all the cultures that go into their construction. Narrow nationalistic culture is an anachronism in the world of today, where national cultures criss-cross and influence one another. The culture of tomorrow is a world culture, in which all men and nations will share. Such a culture is best served by a constructed language which is a blend.

The charge of "artificiality" often leveled at constructed languages (as against the "naturalness" of national languages) is no charge at all. A horse is "natural," an automobile is "artificial." For purposes of present-day travel under present-day conditions, no one seriously questions the superiority of an "artificial" automobile.

Among the constructed languages there are many that show highly desirable features in one or another respect. This leads the backers of different systems to extol their own product to the detriment of others. There is no doubt that granted a study extending over another century or two we could blend and improve upon the various systems that have been and are being offered. But the need for an international language is immediate.

Among the constructed languages there is one, Esperanto, which has proved its worth by acquiring a fairly large speaking population, producing an extensive literature, both original and in translation, and gaining a considerable amount of international and even official recognition. It is a language with absolute standardization and phonetization, a simple, clear, logical grammatical structure, a vocabulary that without attempting to give proportional representation to the far too numerous language groups in existence, is still international enough to appeal even to the speakers of the languages it most neglects. It could be put into worldwide operation today, and improved later, in a sensible, orderly way, through an academy of language that would necessarily have to make binding decisions as to what is "correct" and "incorrect," under penalty of seeing the language disintegrate into a series of new local dialects that would eventually turn into different languages.

Where Esperanto has been tried, it has succeeded. It can be and is being used right now as a medium of communication among people of different language backgrounds. It is being taught in numerous kindergartens and elementary and high schools throughout the world as an auxiliary language which also serves to facilitate the acquisition of other, natural languages. Its merits are of a utilitarian, pragmatic kind, the sort of thing the practical present-day world needs. It is a de facto linguistic reality, not a mere hypothesis. Since our need is immediate and pressing, why look further? Use it now--improve it later!

Introduction

To know languages in addition to one's own is pleasant and often profitable. The one most useful to learn first is Esperanto, the international language, which can be read, written and spoken after an amazingly short period of study.

Since Esperanto is a constructed language primarily for use by persons who do not understand each other's native tongue, or another common language, it had to be very simple and regular. It is truly a time-saver for people who learn it, and it is especially suitable for international use because it has none of those sounds occurring in various national languages (including English) which are difficult for people of other nationalities to pronounce. If one hears an Esperanto word, he can spell it; if he sees the word, he knows how to pronounce it. Furthermore, the meaning of many words is immediately recognizable for many people because this language is based on the chief European languages.

While the author of Esperanto, Ludwig L. Zamenhof, was a young student, he was unhappy over the situation of the city in which he lived, as four languages were in current use: Russian, Polish, German, and Yiddish. There was constant bickering, quarreling, misunderstanding and suspicion. He thought a means to better understanding might improve the situation, and began to devise a language which the inhabitants could learn easily and use in common. His project grew and became more serious. He considered this "obsession" after he had become an oculist, and continued to perfect his creation.

The first description of Esperanto was published in Poland in 1887. The pamphlet (in Russian) was entitled, "A plan for an international language." The author, Dr. Zamenhof, used the pen name "Doktoro Esperanto," meaning in his new language "A doctor who hopes." When the pamphlet was translated into other languages and began to arouse general interest, the word Esperanto came into use to designate the language itself, and it is so defined in dictionaries today.

Possibly the attitude of this dreamer and his perseverance account for the attitude of the Esperantists who have learned the language and use it frequently or even daily. Esperanto is distinctly the friendly language. There are innumerable anecdotes which show this, some dating from the sad days of the World Wars. It is interesting to observe how two persons, one of whom irritates the other by misusing the language of the other (as many people inevitably do), become absolutely friendly equals when both use Esperanto. Esperantists seem to be friends all over the world. This has been dubbed "emotionalism," but it is a good foundation for building for peace.

Learning Esperanto is excellent preparation for the languages commonly taught in schools, including Latin, which has been widely studied ever since the Renaissance. Latin and Esperanto are related, from opposite ends of history's time-table, to many of the languages of Europe. Esperanto now is the better introduction to a study of most European languages, ancient and modern, since it is so economical in the time required. Esperanto may be compared to a bridge by which students pass from the familiar irregularities of their native language to the different irregularities and peculiarities of a foreign one.

Being grammatically clear, and free from irregularities, duplications and exceptions (not even having irregular verbs), Esperanto helps to clarify grammar itself. Young people often regard the study of grammar of their native tongue as superfluous, and this, consequently, can be utterly confusing when attempting to explain foreign idioms.

Chambers of Commerce early voted approval of Esperanto; some have even subsidized classes in it. A number of city governments, tourist bureaus, railway and steamship lines, and now airplane companies and other commercial organizations have found its use economical in comparison with having the same material printed in half a dozen different languages. In 1926 the International Telegraphic Union (now Telecommunications Union) ordered that messages in Esperanto be sent at the rate for "clear" languages (i. e. , not charged for as codes). In 1954 the United Nations Educational, Scientific, and Cultural Organization (UNESCO) instructed its Director-General to follow current development in the use of Esperanto in education, science and culture, and to cooperate with the Universal Esperanto Association on matters concerning both organizations. Since that time UNESCO has used Esperanto increasingly in publications and in certain lines of its work.

Two international congresses have been held in the United States. In 1910 in Washington, D. C. , there was an attendance of more than 300, remarkable considering the distance and cost of travel at that time for members from the other side of the world. Dr. and Mrs. Zamenhof were present. The other was held in San Francisco during World War I, with few others than Americans able to attend, but it kept up the sequence of congresses. The first congress held in Asia was in Tokyo, Japan, in 1965. Its membership, 1710, was less than most of those held in Europe, but more than half the attendance was of other nationalities than Japanese and came from 46 countries, some very distant. Its sponsor was the President of the Japanese Academy. The Ministers of Foreign Affairs and of Education also addressed the opening session. In 1965 and 1966 the congresses were held in Bulgaria and Hungary, respectively, and that of 1968 is scheduled to be held in Madrid.

The first international congress of Esperantists was held in 1905 in Boulogne-sur-mer, with a membership of 688 persons. On behalf of the Esperantist public, it formally accepted the small book Fundamento de Esperanto (Foundation of Esperanto), together with the original list of words, presented by Dr. Zamenhof at their request. This made both publications official and authoritative, and transferred to the Esperantists of the world all ownership of this language. [1]

Annual congresses of Esperantists since 1905--except in the war years--have given dramatic demonstration of the international language. Their daily sessions move smoothly and impressively in Esperanto alone, as do also the social affairs of the week, likewise the meetings of numerous affiliated organizations which promote Esperanto or use it for their own purposes with only incidental aid to the general Esperanto cause. These organizations are very diverse. They include scientists, physicians, jurists, other specialists and technicians, railway workers, fraternal and religious societies, chess players, and sport clubs.

Responsibility for planning and managing the international Esperanto congresses rests primarily on the Universala Esperanto-Asocio (UEA), which aids and cooperates with the local committees of Esperantists and civic officials. This is a supranational organization, with which most of the national organizations for promotion of Esperanto are affiliated. It has consultative and cooperative relations with UNESCO, as has been stated (see p. xiii), performs and sponsors various activities for Esperanto, issues a monthly official organ and a couple of general magazines. It also has a system of delegates in various cities and towns in 83 countries. These are local Esperantists who will give information to visiting Esperantists. Fees need be paid only for such research or other special work as they consent to perform. Their names and addresses are in the annual UEA Yearbook, also in local telephone directories (under ESPERANTO). What the visiting Esperantist first asks is usually the time and place of meeting of the local Esperantist club. Generally a contact is made prior to the meeting. It has been remarked that in large cities the visitor finds his way to the delegate's office or other address; but in the small town or village the delegate comes to meet him in the station or wherever he is waiting. This is the beginning of many pleasant friendships. No Esperantist's contacts are limited to waiters, guides, and porters unless he so chooses.

Note

1. In the Antaŭparolo (preface) of the Fundamento de Esperanto, Dr. Zamenhof names this small book (of fewer than 50 pages) as a guide for writers of Esperanto textbooks and a reference book for individual Esperantists. He cautions that no person or organization has the right to make any modification whatever in this language; instead, it must remain absolutely unchanged until such time as it may be formally accepted by the chief world powers in agreement, with no change in its grammatical form to be permitted thereafter. He emphasized that a language for international use must--unlike national languages--remain absolutely stable and must develop through wise and orderly additions to its vocabulary in accord with the permanent grammatical system (in which a proper orthography is included). He summed this up by declaring that the advice of the Fundamento de Esper-

anto should be regarded as obligatory, and that what-
ever is contrary to it must be considered bad, even
though it come from the pen of the author of Esperanto
himself. The second part of the book, entitled Funda-
menta Gramatiko (basic grammar) presents the alphabet
and 16 short "rules" showing the forms of basic words.
The third and last part of the book, Ekzercaro, presents
the main points of the syntax of Esperanto in a series
of so-called exercises, after a few passages designed
for pronunciation. The sentences in the Ekzercaro con-
tain indispensable information and are no mere practice
sentences, as the modest heading might suggest.

Lesson 1

The Esperanto Alphabet and its pronunciation.

The Roman alphabet, slightly modified to be phonetic and free from duplication, is used in Esperanto. The letters q, w, x, and y are omitted (except as technical and scientific symbols). No letter is ever silent. Each of doubled letters is clearly sounded. Every word is pronounced exactly as it is spelled.

Each of the following nine letters having two or more sounds in English is limited in Esperanto to just one of those sounds; and one letter (c), which merely duplicates English k and s, has a needed sound assigned to it:

a is like a in mar
e is like e in met
i is like i in marine
o is like o in more
u is like u in rude
c is like ts in hats, tsar, tsetse, its

g is like g in gag
j is like j in hallelujah
  like y in boy, yet
s is like s in sit
z is like z in zone

Five sounds represented in English by various letters and combinations of letters are expressed in Esperanto by five permanently circumflexed letters:

ĉ is like ch in chat, much; tch in catch
ĝ is like g in gem, urge; dge in edge; j in joy
ĥ is like ch in loch (occurs in only a few words)
ĵ is like j in jabot; s in leisure; z in azure
ŝ is like sh in shoot; ch in chute; ss in issue

Each of the remaining letters of the Roman alphabet

(b, d, f, h, k, l, m, n, p, r, t, v) has a single sound in English and is expressed by the same sound in Esperanto.

Names of the letters. The vowels are named by their sounds. The consonants have names formed by adding to each the letter o, thus making pronounceable words. The whole alphabet is as follows: A, Bo, Co, Ĉo, Do, E, Fo, Go, Ĝo, Ho, Ĥo, I, Jo, Ĵo, Ko, Lo, Mo, No, O, Po, Ro, So, Ŝo, To, U, Ŭo, Vo, Zo. (As the spelling of words is never a problem in Esperanto, little or no time needs to be spent in memorizing the alphabet or in practice of spelling words aloud in it.)

The Diphthongs. In those diphthongs in which English uses i or y, Esperanto uses j; in those in which English uses u or w, Esperanto uses u, placing over it a breve (ŭ) to indicate that it is part of a diphthong, not an independent vowel. The pronunciation of the diphthongs is as follows:

aj is like ay in bayou, ai in aisle

ej is like ey in they, ei in vein

oj is like oy in boy, oi in boil

uj is like ui in fluid, ruin

aŭ is like au in sauerkraut, ou in out, ow in how

eŭ is Esperanto e and u spoken (like other diphthongs) with one breath impulse. It occurs in few words, but some of them are common. The sound is "ehoo" said quickly, as in Eŭropo, eŭfemismo.

The Accent of Words. The accent of all words longer than one syllable is on the next to the last syllable.

18

Lesson 2

Nouns. Nouns end in the letter o, as in ĉambro, room; infano, child; tablo, table; viro, man. To make them plural, the letter j is added, as in ĉambroj, rooms; infanoj, children; tabloj, tables; viroj, men.

Adjectives. Adjectives (except cardinal numbers) end in the letter a, as in bona, good; forta, strong; granda, big. An adjective which modifies (describes, or limits the meaning of) a noun which is plural must likewise take the plural form, as in bonaj infanoj, good children; fortaj viroj, strong men; grandaj tabloj, big tables.

These plurals, expressed by the diphthongs oj or aj, are like the classical Greek plurals (as in the English transliteration of the phrase hoi polloi) which helped to make Greek so musical.

The Article. The definite article "the" is la. Esperanto has no indefinite article (such as English "a," "an"); this should be supplied in translation as needed.

The Present Tense of Verbs. The forms of a verb which show the time of an act or state (present, past, or future) are its tenses. In Esperanto each tense is indicated by a characteristic ending. The present tense ends in the letters as, as in demandas, ask, asks; parolas, talk, talks; estas, am, are, is. (Other tenses will be shown in later lessons.)

How Questions Are Asked. Questions regularly begin

19

with ĉu, "whether," unless some other interrogative word (such as how, what, who, why) is used. English translation of direct questions may change the word order and use an introductory word, such as "Do, Is, Are."

Ĉu la infanoj estas bonaj? Are the children good?

Ĉu infano parolas al la viro? Does a child talk (is a child talking) to the man?

Viro demandas, ĉu la ĉambroj estas grandaj. A man asks whether the rooms are big.

La infanoj demandas, ĉu la tablo estas forta. The children ask whether the table is strong.

Words To Remember

al, to, toward
amiko, friend
apud, near, close by
bona, good
ĉambro, room
ĉar, because
ĉe, at
demandas, ask(s)
estas, am, is, are
forta, strong
granda, big, great, large
infano, child
jes, yes

Jozefo, Joseph
kaj, and
kuras, run(s)
la, the
libro, book
parolas, speak(s)
pomo, apple
pordo, door
seĝo, chair
staras, stand(s)
sur, on
tablo, table
viro, man

Sentences To Read

1. La infano kuras al la ĉambro kaj staras apud la pordo. 2. Forta seĝo estas apud la pordo. 3. Grandaj libroj estas sur la tablo apud la pordo. 4. Ĉu la libroj sur la tablo estas bonaj? 5. Ĉu la pomoj sur la tablo estas apud la libroj? 6. Infano staras sur seĝo, kaj la viro

demandas, ĉu la seĝo estas forta. 7. La viro estas bona amiko al la infano. 8. La infano staras sur la granda forta tablo. 9. Sur la seĝoj estas libroj. 10. Ĉu infano kuras al la tablo? 11. Jes, la infano kuras al la tablo, ĉar sur la tablo estas pomoj. 12. Infanoj staras apud tablo, ĉar la pomoj sur la tablo estas grandaj kaj bonaj. 13. La viro demandas, ĉu la infanoj estas apud la tablo. 14. La infanoj staras apud la bonaj grandaj pomoj. 15. Ĉu grandaj infanoj estas fortaj? 16. Jes, grandaj infanoj estas fortaj kaj bonaj. 17. Ĉu Jozefo estas forta infano? Jes, Jozefo estas forta. 18. La viro demandas, ĉu Jozefo estas forta. 19. Ĉu Jozefo kaj la viro estas bonaj amikoj? 20. La infanoj kuras al la amikoj apud la tablo. 21. La viro parolas al la infanoj, kaj la infanoj parolas al la viro. 22. La viroj kaj la infanoj staras ĉe la pordo.

Lesson 3

Personal Pronouns.   The following words are person-
al pronouns, with their English meanings.

mi, I, me, myself   li, he, him, himself
vi, you, yourself, yourselves ŝi, she, her, herself
ni, we, us, ourselves   ĝi, it, itself
                             ili, they, them, themselves

Possessive Pronominal Adjectives.   Adjectives corre-
sponding to personal pronouns are often called simply pos-
sessives.

mia, my, mine, of mine   lia, his, of his
via, your, yours, of yours   ŝia, her, hers, of hers
nia, our, ours, of ours   ĝia, its
                             ilia, their, theirs, of theirs

The Past Tense of Verbs.   Verbs in the past tense
end in the letters is, as in estis, was, were; staris, stood.

Antonyms.   Prefixing the syllable mal to a word
changes it to its antonym (word of opposite meaning).

malbona, bad (antonym of bona, good)

malforta, weak (antonym of forta, strong)

malgranda, little, small (antonym of granda, big, large)

malamiko, enemy (antonym of amiko, friend)

malamika, unfriendly, hostile (antonym of amika, friendly)

Adverbs.   Adverbs modify adjectives, verbs, and
other adverbs.   Most Esperanto adverbs have the ending e
and are derived from the same roots as many adjectives and
some other words.   (The root of a word is the part which
tells its essential meaning and receives the grammatical end-
ing to make it a word.)   Examples of such derived adverbs
are forte, strongly; bone, well; amike, in a friendly way;

22

<u>malbone,</u> badly.

Esperanto has also a number of primary adverbs, which have various endings. Many of these have counterparts (probably quite old) in European languages basic to Esperanto. Examples are <u>baldaŭ,</u> soon; <u>hieraŭ,</u> yesterday; <u>ne,</u> not; <u>nun,</u> now.

New Words to Remember
(In addition to the seven pronouns above)

<u>afabla,</u> kind, affable
<u>aŭ,</u> or
<u>baldaŭ,</u> soon
<u>bela,</u> beautiful, lovely
<u>dika,</u> thick, stout
<u>domo,</u> house
<u>en,</u> in
<u>filo,</u> son
<u>hieraŭ,</u> yesterday
<u>hundo,</u> dog
<u>krajono,</u> pencil, crayon

<u>letero,</u> letter
<u>longa,</u> long
<u>ne,</u> no (negative reply), not
<u>nova,</u> new
<u>nun,</u> now
<u>patro,</u> father
<u>planko,</u> floor
<u>sinjoro,</u> gentleman, sir, mister
<u>tra,</u> through
<u>venas,</u> come(s)
<u>vorto,</u> word

Sentences to Read

1. Ĉu la dikaj leteroj sur la tablo estas viaj? 2. Ne, mia amiko, ili ne estas miaj; miaj leteroj estas nun en mia ĉambro. 3. Miaj leteroj ne estas dikaj, ili estas maldikaj, ĉar ili estas mallongaj. 4. Filo mia, ĉu la vortoj en via letero estas longaj aŭ mallongaj? 5. Ĉu la afabla sinjoro apud la pordo estas via patro? 6. Sinjoro, ĉu vi parolas al mi aŭ al mia filo? 7. Mi parolas al vi; mi demandas, ĉu la bela malgranda domo estas via. 8. Jes, ĝi estas mia malnova domo; ĝiaj pordoj nun estas malfortaj, ĉar ili estas maldikaj. 9. Ĉu vi longe parolis (did you talk long) hieraŭ al la sinjoro apud via domo? 10. Ne, ni parolis mallonge (briefly), ĉar mia filo baldaŭ venis tra la pordo, kaj la sinjoro afable parolis al li. 11. Ĉu la longa nova krajono sur la planko en via ĉambro estas via aŭ mia? 12. Ĝi ne estas

23

mia; Jozefo estis en la domo hieraŭ; ĉu ĝi estas lia krajono? 13. Estas (there are) krajonoj sur la tablo kaj sur la seĝo en via ĉambro, ne en lia. 14. Via filo Jozefo estas forta, kaj li estas bona amiko mia. 15. La vortoj en mia nova libro estas longaj; la vortoj en lia libro estas mallongaj. 16. La knabo apud via domo parolis malafable al via filo; via filo ne parolis malafable aŭ malamike al li. 17. Fortaj infanoj bone kuras, malfortaj infanoj malbone kuras. 18. La hundo staras apud la bela nova domo.

Lesson 4

The Future Tense of Verbs. Verbs in the future
tense end in <u>os,</u> as <u>estos,</u> shall (will) be; <u>kuros,</u> shall (will)
run. The present, past, and future tenses, which state or
inquire facts as of the indicated time, are said to be in the
indicative mood. (Other moods of the verb will be shown in
later lessons.)

The Accusative Case; Its Expression of Direct Object.
The letter <u>n</u> is added to nouns, to pronouns, and to their ad-
jective modifiers in order to show that they are in the ac-
cusative case. A very important use of the accusative case
is to identify the direct object of verbs.

<u>La infano deziras pomon.</u> The child wishes an apple.

<u>Mi donos belan grandan pomon al la infano.</u> I shall give a
beautiful big apple to the child.

<u>Li nun fermos la pordon.</u> He now will close the door.

<u>Ĉu vi donos al mi bonan libron?</u> Will you give me a good
book?

The Article Instead of a Possessive. If the meaning
is obvious, possessives referring to one's relatives, or to
parts of the body, may be replaced by the article.

<u>La patro donis ĝin al mi.</u> Father gave it to me.

<u>En la mano mi havas libron.</u> In my hand I have a book.

Questions Indicating the Expected Answer. That an
affirmative answer to a question is expected may be indi-
cated by placing ĉu ne? at the end of a statement. Expecta-
tion of a negative reply is indicated by placing ĉu alone at
the end of the statement.

25

Ilia domo estas bela, ĉu ne?   Their house is beautiful, isn't
   it?   (Expected answer: Yes.)
Vi ne vidis Jozefon, ĉu?   You didn't see Joseph, did you?
   (Expected answer: No.)

New Words to Remember

antaŭ, before, in front of
bezonas, need(s)
deziras, desire(s), wish(es)
diras, say(s), tell(s)
donas, give(s)
el, of, out of, from among
fenestro, window
fermas, close(s), shut(s)
frato, brother
ĝentila, polite
havas, have, has
helpas, help(s), aid(s)
hodiaŭ, today

juna, young
ĵetas, throw(s), pitch(es)
kaŝas, hide(s), conceal(s)
ke, that (conjunction)
mano, hand
montras, show(s), point(s)
najbaro, neighbor
papero, paper
post, after, behind
sed, but
skribas, write(s)
sub, under
vidas, see(s)

Sentences to Read

1. Niaj najbaroj havas junan filon; hieraŭ mi parolis
al li antaŭ ilia domo. Li estas ĝentila infano. 2. Miaj
junaj fratoj forte deziras hundon, kaj la najbaroj diras, ke
baldaŭ ili donos malgrandan hundon al la fratoj. 3. Hodiaŭ
mi vidis maljunan sinjoron, bonan amikon nian; li afable
parolis al mi kaj donis pomojn al miaj fratoj. 4. Li de-
mandis, ĉu ili bone helpas la patron, sed mi diris al li, ke
ili malhelpas lin. 5. Estis (there were) leteroj sur la tablo,
sed ili ne nun estas sur ĝi; ĉu ili estis viaj? 6. Jes, la
patro montris ilin al mi, kaj mi nun havas ilin en mia
ĉambro. 7. Mi baldaŭ skribos leteron al amiko; mi bezonas
paperon kaj bonan krajonon. 8. Ĉu miaj libroj kaŝas la
krajonon? Ĉu vi vidas ĝin sur la planko apud la tablo?
9. Via hundo kuris tra la pordo post vi kaj nun estas sub via
seĝo. Li havas vian krajonon, ĉu ne? 10. Li havis ĝin,
sed nun mi havas ĝin; ĝi estas en mia mano, kaj la hundo

kuras el la ĉambro.   11. Hodiaŭ miaj fratoj malfermis
fenestron, staris antaŭ ĝi, kaj ĵetis pomojn el ĝi al amikoj
sub la fenestro.   12. Iliaj junaj amikoj estis antaŭ la domo,
sub la fenestro, kaj deziris la pomojn.   13. Sed mi kuris
al la fenestro kaj fermis ĝin.   Miaj fratoj kuris el la ĉambro
kaj fermis la pordon.   14. Ili kuris al la amikoj sub la
fenestro.   15. Mi ne parolis al ili; mi venis al mia ĉambro
kaj skribis leterojn.

Lesson 5

The Suffix -In-. By placing the syllable -in- before the grammatical ending of nouns denoting male beings, words denoting the corresponding female beings can be formed, as filino, daughter; fratino, sister; patrino, mother, sinjorino, lady; virino, woman.

The Infinitive of Verbs. The infinitive expresses a state or an action without reference to persons or time. It can be subject, object, or predicate of a verb, yet it can have a direct object. It is modified by adverbs. In Esperanto the infinitive ends in i.

Ni ne deziras malhelpi vin. We don't wish to hinder you.

Ĉu vi deziras longe respondi? Do you wish to answer at length?

Havi hundon estas havi amikon. To have a dog is to have a friend.

The Reflexive Pronoun and Reflexive Possessive. In the third person, Esperanto has a special reflexive pronoun, si. It means him(self), her(self), it(self), or them(selves), according to the subject of the sentence, to which it always refers. Its accusative is sin. The reflexive possessive is sia, meaning his, her(s), its, their(s), according to the subject of the sentence.

Viro helpas sin, virino helpas sin, infanoj helpas sin. A man helps himself, a woman helps herself, children help themselves.

La frato kaj fratino bone helpas sin. The brother and sister

28

help themselves well.

Lia hundo kaŝis sin post lia seĝo. His dog hid (itself) behind
his chair.

La patrino parolis al sia filino kaj al ŝia amikino. The
mother talked to her daughter and to her (the daughter's)
girl friend.

La infano apud la viro havas sian libron kaj lian. The child
near the man has his own book and his (the man's book).

Ĉu Jozefo kaj lia frato perdis siajn novajn librojn? Did
Joseph and his brother lose their new books?

New Words to Remember
(Verbs will now be cited by their infinitives)

aĉeti, to buy, purchase
alia, other, another
Arturo, Arthur
de, of, from (also by)
facila, easy
feliĉa, happy, fortunate
frua, early
hejmo, home
iri, to go
knabo, boy
krom, besides, in addition to
lito, bed
morgaŭ, tomorrow

opinii, to think, opine
perdi, to lose
permesi, to permit, allow
peti, to request, ask, beg
por, for
rapida, rapid, quick, fast
respondi, to respond, answer
serĉi, to search, hunt (for)
si, -self (see p. 28)
tago, day
tre, very
trovi, to find
voki, to call, summon

Sentences to Read

1. Estis bela tago hieraŭ; mi demandas min (I ques-
tion myself, wonder), ĉu morgaŭ estos alia bela tago.
2. Amikoj de mia patro bezonas novan hejmon por si; ili ne
facile trovas malgrandan domon. 3. Ili parolis al mia patro,
ĉar ili deziras aĉeti nian domon. 4. Ĝi estis la hejmo de
mia patro kaj mia patrino; sed nun ĝi estas tre malgranda
por ili kaj mia fratino, mia frato, kaj mi. 5. La patro
diras, ke li serĉos por ni alian domon, novan aŭ malnovan.
6. La patrino opinias, ke en granda domo ŝi estos tre

29

feliĉa. 7. Mia fratino Jozefino hieraŭ perdis sian novan libron, kaj mia frato Arturo hodiaŭ perdis sian. 8. La fratino frue serĉis sian libron kaj trovis ĝin. 9. Arturo mallonge serĉis sian kaj ne trovis ĝin. 10. Li malĝentile (rudely) diris, ke Jozefino trovis lian libron kaj kaŝis ĝin; sed ŝi diras, ke ne. 11. Arturo rapide iris el nia domo kaj al la domo de najbaro; sed Jozefino vidis lin tra la fenestro kaj vokis lin. 12. Ŝi diris al li, "La patrino malpermesas; ŝi opinias, ke vi ne serĉis vian libron en via ĉambro." 13. Arturo respondis, "Ne, ĉar ĝi ne estis en mia ĉambro." 14. Jozefino afable diris al la frato, "Mi iros al via ĉambro kaj helpos serĉi." 15. La knabo kaj lia fratino baldaŭ iris al lia ĉambro kaj serĉis. 16. Ili serĉis sur la tablo kaj sub ĝi; sur la seĝoj kaj sub ili; sur la lito kaj sub ĝi. 17. Ili fermis la pordon; kaj post ĝi staris la libro.

Lesson 6

Comparison of Adjectives, Adverbs. The comparative and superlative degrees of adjectives and adverbs are formed by use of the adverbs of degree, pli, more, plej, most, and their antonyms malpli, less, and malplej, least.

Li estas pli juna sed pli forta. He is younger but stronger.

Arturo kuras plej rapide. Arthur runs (the) fastest.

Hieraŭ vi helpis min malplej bone. Yesterday you helped me least well.

The Imperative Mood of Verbs. The one tense of the imperative mood ends in u. It expresses command or exhortation, inquiry for orders, and also request or wish.

Ne parolu al ili! Ni iru! Don't talk to them! Let's go!

Ĉu mi iru? Shall I (Am I to) go?

Ĉu li helpu? Is he to help?

Jes, vi iru; kaj li helpu. Yes, you go; and he is to help.

Mi ordonas, ke li respondu. I command that he answer (command him to answer).

Ŝi petis, ke ni helpu. She requested that we help.

Ili estu feliĉaj! May they be happy!

Prepositions. Prepositions are words which define the relation of a noun or pronoun to a preceding word. The majority of prepositions consist of single syllables. Examples in preceding lessons are al, antaŭ, apud, de, en, krom, por, post, sub, sur, tra.

Word Groups From Single Roots. If the meaning of a word which consists of a root with some grammatical ending is known, then its possible meaning with any other

31

grammatical endings can usually be recognized at once.
Examples are: Demandi, to ask, inquire; demando, question, inquiry; demanda, inquiring, asking; demande, questioningly. Kaŝi, to hide, conceal; kaŝo, hiding, concealment; kaŝa, concealing; kaŝe, secretly, furtively. Paroli, to speak, talk; parolo, spoken word, utterance; parola, spoken, uttered, oral; parole, orally, by word of mouth. Permesi, to permit; permeso, permission; permesa, permissive; permese, by (with) permission.

New Words to Remember

anstataŭ, instead of, in
   lieu of
butiko, shop, store
ĉapelo, hat
danki, to thank
dum, while, during
fali, to fall, tumble
floro, flower
ĝardeno, garden
horo, hour
labori, to labor, work
mateno, morning
mateno, morning
nur, merely
ordoni, to order, command

Paŭlo, Paul
plej, most (see p. 31)
pli, more (see p. 31)
povi, to be able, can
preter, beyond
proksima, near
ricevi, to receive
ridi, to laugh
ruĝa, red
ŝajni, to seem
ŝuo, shoe
tuŝi, to touch
tuta, total, whole
varma, warm
vespero, evening

Sentences to Read

1. Mia amiko, vi havas pli grandan ĝardenon ol viaj najbaroj, kaj la floroj en ĝi estas pli belaj. 2. Vi laboras en ĝi pli longe ol mia filo kaj mi laboras en nia ĝardeno. 3. Li kaj mi laboras en nia ĝardeno nur dum la frua vespero kaj dum horo aŭ pli longe en la frua mateno. 4. La fruaj matenoj kaj la malfruaj vesperoj nun ŝajnas malvarmaj, sed baldaŭ la tuta tago estos varma. 5. Mia filino opinias, ke la ĝardena laboro de sia frato estas pli facila ol ŝia laboro en la domo. 6. Ŝi diris, "Donu al mi la ĝardenan laboron! Ordonu, ke Paŭlo anstataŭ mi laboru en la domo!" 7. Sed

32

Paŭlo nur ridis kaj iris el la pordo. Li kuris preter la domo kaj iris al la bela granda ĝardeno. 8. Hieraŭ mia filino petis, ke la patrino aĉetu la ruĝan ĉapelon en la granda butiko ne tre malproksima de nia domo. 9. Sed anstataŭ la ĉapelo la patrino aĉetis por ŝi belajn ruĝajn ŝuojn. 10. Antaŭ horo (an hour ago) mia pli juna fratino desiris pomon de la tablo, staris sur seĝo proksima de ĝi, sed povis nur tuŝi la pomon. 11. Malfeliĉe, ŝi falis de la seĝo kaj trovis sin sur la planko. 12. La patrino diris al ŝi, "Ne staru sur seĝo kaj vi ne falos. Ĝentile petu, kaj mi donos al vi pomon." La knabino ricevis belan pomon kaj ĝentile dankis la patrinon. 13. Baldaŭ la knabino diris, "Ĉu mi malfermu la pordon por vi?" La patrino diris, "Jes, mi dankas vin," kaj la knabino malfermis ĝin por ŝi.

Lesson 7

The Correlative Words. The Esperanto system of correlative words (which is only basically related to national-language systems) is regular and complete. It consists of five quite similar groups of words, each group having its characteristic initial syllable.

The interrogative-relative (ki-) group is as follows:

kio, what (thing)	kiam, when, at what time
kiu, who, which	kie, at what place, where
kies, whose, of which one's	kiel, in what way, how, as
kia, of what (which) kind	kiom, what quantity, how much
kial, for what reason, why	or how many, as much or as many

In each group, the word ending in o is a pronoun, with some qualities of a noun; it has no plural and does not refer to persons. The word ending in u is a pronoun (and pronominal adjective); it becomes plural by adding the letter j (which with the u forms a diphthong); the preposition el (not de) is used after it. The word ending in es is a possessive pronoun. The word ending in a is an adjective. The five remaining words in each group (with identical endings across all of the groups like the last five in the ki-group above) are primary adverbs of reason, time, place, manner and quantity.

The demonstrative (ti-) group of correlative words is shown in the first column below. These words refer to something remote from the speaker in space, time, or thought. The second column repeats them with ĉi (before or after), which changes the sense of remoteness to a sense

34

of nearness to the speaker, in space, time, or thought.*

*Ĉi is a particle without specific meaning; its sole authorized use is with these nine correlative demonstrative words. See--"montron pli proksiman" in Fundamento de Esperanto, Ekz. 30.

tio, that (thing)	ĉi tio (or tio ĉi), this (thing)
tiu, that (one); tiuj, those	ĉi tiu, this (one); ĉi tiuj, these
ties, that one's	ĉi ties, this one's
tia, of this kind, such	ĉi tia, of this kind (seldom used)
tial, for that reason, therefore	ĉi tial, for this reason (" ")
tiam, at that time, then	ĉi tiam, at this time (" ")
tie, at that place, there	ĉi tie, at this place, here
tiel, in that way, thus, so	ĉi tiel, in this way (seldom used)
tiom, that quantity, that much or many, as (so) much or many	ĉi tiom, this quantity, this much or many

The ki- words in the correlative system are, first, interrogative; they ask questions. Second, they are connecting words; they refer to something which precedes or follows. The person, thing, act, or state to which the relative refers (i.e., relates) is called the antecedent. These two words,--the relative correlative and any correlative which may be its antecedent--must be in the same grammatical category (have the same kind of ending). Furthermore, the relative cannot be omitted, as it often is omitted in English.

Mi havas tion, kion vi bezonas. I have what (that which) you need.

Mi vidis tiujn librojn, kiujn ili aĉetis. I saw those books (which) they bought.

Kiu el la leteroj estis tiu, kiun vi perdis? Which of the letters was the one (which) you lost?

Ĉu vi deziras tian ĉapelon, kian ŝi aĉetis? Do you wish the kind of hat (which kind) she bought?

35

Sentences to Read

1. Tiuj ŝuoj, kiujn vi aĉetis, estas nun en mia ĉambro. 2. Ĉi tiuj leteroj, kiujn vi donis al mi, tute ne estas miaj (aren't mine at all). 3. Kies leteroj estas ĉi tiuj, kiuj estas tiel dikaj? 4. Kiu skribas tiajn leterojn, kiajn vi ricevas, aŭ kio estas en ili krom papero? 5. Vi ne havas tiom da grandaj, ruĝaj floroj en via ĝardeno, kiom vi antaŭe havis. 7. Ne, ĉar mi ne povas labori en la ĝardeno tiel longe kiel mi antaŭe laboris tie. 8. Tia laboro estas agrabla, sed ni ofte laboras pli longe ol estas bone por ni. 9. Mi petas, ke tiu el vi, kiu havas opinion pri ĉi tio, nun diru al ni sian opinion. 10. Mi demandas min, kial vi ne respondis, kiam mi vokis vin antaŭ horo. Kie vi tiam estis? 11. Mi estis en tiu butiko, kiun vi vidas antaŭ ni. Mi serĉis libron, kiun mi deziris aĉeti por vi. 12. La viro tie diris, ke li ne havas tian libron, sed li diris en kiu alia butiko mi trovos ĝin. 13. Ĉu vi afable venos al tiu butiko, kiun mi montros al vi? 14. Vi kaj mi povos vidi tiun libron, kaj vi povos diri, ĉu vi deziras ĝin. 15. Mi opinias, ke mi tiam aĉetos ĝin, ĉu vi ĝin deziras, ĉu ne?

Lesson 8

Further Groups of Correlative Words. The distributive (ĉi-) group of correlative words, the negative (neni-) group, and the indefinite (-i-) group are as follows:

ĉio, every thing, each (thing)
ĉiu, every (one), each (one)
ĉies, every (each) one's
ĉia, of every (each) kind
ĉial, for every reason

ĉiam, always, every time
ĉie, everywhere
ĉiel, in every way
ĉiom, all, the whole quantity or amount

nenio, nothing
neniu, nobody, no (one)
nenies, no one's, nobody's
nenia, no kind of
nenial, for no reason

neniam, at no time, never
nenie, at no place, nowhere
neniel, in no way, nohow
neniom, no quantity, none, not a bit

io, something
iu, some (a certain) one
ies, some one's
ial, for some reason

iam, at some time, ever
ie, somewhere
iel, in some way, somehow
iom, some (quantity), somewhat, rather

Infinitives With Prepositions. The infinitive form of a verb can be governed by appropriate prepositions. Those commonly used are anstataŭ, krom and por, also antaŭ followed by ol (these two words forming a conjunctive phrase).

Vi malhelpas anstataŭ helpi. You hinder instead of help(ing).

Krom vidi ŝin, ni helpas ŝin. Besides seeing her, we help her.

Li venis al vi por diri ion al vi. He came toward you to say something to you.

Mi skribos al vi antaŭ ol iri. I'll write you before going.

Impersonal Verbs. Verbs which describe an act or state of nature and therefore have no expressed subject are called impersonal verbs. Verbs having infinitives or

37

clauses for subjects are said to be used impersonally.

<u>Hodiaŭ pluvis, tiam neĝis.</u> Today it rained, then it snowed.

<u>Estas bone ke vi ne iris.</u> It's well (that) you didn't go.

<u>Trovi ĉiun el ili estos malfacile.</u> Finding (to find) every one
of them will be difficult.

New Words to Remember

<u>agrabla</u>, agreeable,
  pleasant, nice
<u>akvo</u>, water
<u>Andreo,</u> Andrew
<u>atendi</u>, to wait (for),
  expect
<u>cirkaŭ</u>, around
<u>esperi</u>, to hope
<u>ĝis</u>, as far as, until
<u>ĝoji</u>, to rejoice, be glad
<u>kamparo</u>, country (fields)
<u>kun</u>, (along) with
<u>laca</u>, tired, weary

<u>ludi</u>, to play
<u>neĝi</u>, to snow
<u>onklo</u>, uncle
<u>pluvi</u>, to rain
<u>pri</u>, about, concerning
<u>resti</u>, to remain, stay
<u>strato</u>, street
<u>trans</u>, across
<u>tuj</u>, immediately
<u>veni</u>, to come
<u>veturi</u>, to travel (in vehicle),
  to drive
<u>viziti</u>, to visit

Sentences to Read

1. Venu al la fenestro, ĉiuj el vi! Kiam vi vidas
kiel forte neĝas, vi tre ĝojos. 2. Knaboj kaj knabinoj ĉie
tuj rapidos (will hurry) el la domoj por ludi en la neĝo, kaj
baldaŭ ili estos lacaj. 3. Ĉu tiu neĝo longe restos sur la
stratoj? 4. Estas mia opinio, ke nur iom, aŭ neniom restos
ĝis morgaŭ, ĉar ni atendas varman tagon. 5. Mi esperas,
ke tiu libro mia, kiun mia plej juna frato perdis hieraŭ
vespere, estas en ies domo, ne sur la strato. 6. Kiel
malagrablajn tagojn ni havis ĝis hodiaŭ! 7. Kiam mi iris el
la domo hieraŭ vespere, mi vidis ĉirkaŭ mi nur pluvon; kaj
akvo falis de mia ĉapelo ĝis miaj ŝuoj. 8. Morgaŭ nia
onklo veturos el la kamparo, kie li kaj mia onklino havas
belan kamparan domon, ĝis nia hejmo por viziti nin. 9. Ni
povos longe paroli pri ĉio, pri kio iu el ni havas opinion.
10. Tiu knabo, kiu staras apud la pordo sed diras kaj

faras nenion, estas Andreo, kies patro hodiaŭ matene (this morning) aĉetis tiun domon trans la strato. 11. Li venis por ludi kun miaj junaj fratoj, kiuj ne nun estas ĉi tie. 12. Li havas neniujn fratojn, neniujn fratinojn; tial li bezonas amikojn. 13. Ni baldaŭ vidos, ĉu miaj fratoj deziras Andreon kiel amikon, kaj kiom ili ludos kun li, ĉar mi permesis, ke li restu ĝis miaj fratoj venos. 14. Ĉu estas iu ĉi tie, kiu respondos? 15. Ĉiu infano, kiu venis, estis tre bona. 16. Neniu tiom helpis, kiom vi helpis.

Lesson 9

The Particle Ajn. The particle ajn, ever, may follow any of the interrogative-relative group of correlative words. It adds a generalizing sense.

kio ajn, whatever, whatso-
    ever
kiu ajn, who (which) ever
kies ajn, whose ever
kia ajn, of whatever kind
kial ajn, why ever

kiam ajn, whenever
kie ajn, wherever
kiel ajn, however
kiom ajn, however much,
    whatever quantity

Words From Prepositions and Primary Adverbs.
Useful words are formed from some prepositions and primary adverbs by use of suitable grammatical endings, as antaŭo, a front; antaŭa, front, former; antaŭe, in front, previously; anstataŭi, to take the place of; apude, near by, in the vicinity; ĉirkaŭi, to encircle; dume, meanwhile; kune, together; poste, afterwards; suba, inferior; baldaŭa, imminent; ĉiama, eternal, perpetual; jesa, affirmative; kialo, reason; nuna, present; tuja, immediate.

The Accusative of Goal of Motion. As has been shown in foregoing lessons, certain prepositions, such as al, ĝis, and tra, always express motion and indicate its direction. Esperanto has a way also to indicate the direction, and especially the goal, of motion by prepositions which do not of themselves express motion (such as en, sub, sur) but can indicate its goal. The word naming the goal is put in the accusative case.*

---

*But a preposition is not obligatory before names of well-known cities, also the words for country (rural

40

area) or "house" or "home." This ancient Latin custom persisted in some descendant languages, even came into English; one says "go home," not "go to home."

Mi ĵetis leterojn sur la tablon.	I tossed letters on the table.
Ili falis sub la tablon.	They fell under the table.
Hundo kuris en la ĝardenon.	A dog ran into the garden.
Morgaŭ mi veturos Parizon.	Tomorrow I'll travel to Paris.
Mia frato iris kamparon.	My brother went to the country.
La lacaj viroj iris hejmon.	The weary men went home.

New Words to Remember

ajn, ever (see p. 40)
alta, high
ankaŭ, also
aŭdi, to hear
birdo, bird
bruo, noise
dekstra, right (hand)
devi, to have to, must
Ernesto, Ernest
fari, to make, do
flugi, to fly
glaso, tumbler, glass
laŭta, loud

meti, to put, place
multa, much; multaj, many
muro, wall
ofte, often, frequently
per, by means of, by
sako, sack, bag
sendi, to send
subita, sudden
tempo, time
urbo, city
vetero, weather
voĉo, voice
voli, to be willing

Sentences to Read

1. En antaŭa tempo, altaj muroj ĉirkaŭis multajn urbojn; sed en la nuna tempo malmultaj urboj havas murojn ĉirkaŭ si. 2. Hieraŭ la patro kaj la patrino iris Bostonon. 3. Antaŭ ol iri, ili sendis leterojn al iuj amikoj tie, kiujn ili ofte vizitas. 4. Multaj birdoj flugis en nian ĝardenon hodiaŭ, kaj tuj poste flugis el ĝi. 5. Baldaŭ niaj najbaroj, kune kun siaj infanoj, iros kamparon, kaj tiuj infanoj estas feliĉaj, kie ajn ili trovos sin. 6. Multaj el niaj najbaroj tuj iras kamparon, kiam ajn la vetero estas malagrabla varma en la urbo; neniu volas pli longe resti tie. 7. Ĉi tiu knabo estas Andreo, kiu ofte venas por ludi kun Ernesto, mia plej

juna frato.　8. Andreo, kaj Ernesto, vi ne devas (must not) meti viajn glasojn sur seĝon!　Metu ilin sur la tablon!
9. Anstataŭ fari kiel mi ordonis, la knaboj kun granda bruo ĵetis sur la plankon ĉion, kun kio ili ĝis tiam ludis, kaj kuris tra la pordo, ankaŭ trans la straton.　10. Mi iris al la pordo, vokis ilin, kaj ordonis, ke ili venu al mi.
11. Neniu el ili respondis, sed ili aŭdis min, ĉar ili malrapide venis.　12. Andreo subite diris, kun laŭta rido, ke Ernesto skribas per la maldekstra mano.　13. Mia frato malĝentile respondis, ke li povas pli bone skribi per tiu mano ol Andreo skribas per la dekstra mano.　14. Tial mi donis al Andreo sakon, en kiun mi jam metis pomon, kaj diris, ke nun estas la horo por iri hejmon.　15. Per mallaŭta voĉo li dankis min kaj--kun la sako en la mano--iris el la domo.　16. Tiam mia fratino petis helpon pri malfacila letero.　Mi skribis por ŝi la tutan leteron.　17. Tial mi nun opinias, ke per ĉio ĉi tio (all this) mi faris mian bonan faron (deed) por la tago.

Lesson 10

The Basic Cardinal Numerals.   The basic cardinal numerals are adjectives without grammatical endings.

unu, one	kvar, four	sep, seven	dek, ten
du, two	kvin, five	ok, eight	cent, hundred
tri, three	ses, six	naŭ, nine	mil, thousand

Compound Cardinal Numbers.   The numbers eleven to nineteen consist of dek followed by unu to naŭ.

dek unu, eleven	dek ses, sixteen
dek du, twelve	dek sep, seventeen
dek tri, thirteen	dek ok, eighteen
dek kvar, fourteen	dek naŭ, nineteen

Addition (as above) is indicated by two numerals with space between, as in dek du (10 + 2 = 12).

Multiplication is indicated by joining two numerals, as in dudek (2 x 10 = 20), as in the following paragraph.

The tens (20 to 90) are compounds of dek with du to naŭ prefixed as multipliers, as in dudek, twenty, naŭdek, ninety.   Numbers between tens are formed by placing unu to naŭ after the compounds as in tridek unu, thirty-one; kvardek kvar, forty-four.   The hundreds and thousands are similarly formed, as tricent kvindek naŭ, three hundred fifty-nine; sesmil sepcent okdek unu, six thousand seven hundred eighty-one.

Clauses Expressing Purpose.   The purpose of an act may be expressed by a clause* introduced by por ke, with

---

*A clause is a group of words which is not a complete sentence but does include a verb.   (A group of words not including a verb is a phrase.)

43

its verb in the imperative. The subject is usually different from that of the main clause (otherwise an infinitive with por would be more likely to be used).

Venu al mi, por ke mi vidu vin! Come to me, so (that) I may see you!

Vi kaŝis tion, por ke mi trovu ĝin! You hid that for me to find!

Ŝi venos, por ke vi estu feliĉa. She will come in order that you may be happy.

The Prefix Re-. The sense of again or back (return) is added by the prefix re, as in redoni, to give back, return; refali, to fall back, collapse; remeti, to put back or put again; retrovi, to find again, retrieve; reveni, to come back, return; revidi, to see again; reviziti, to revisit; revoki, to call back, recall, revoke.

New Words to Remember

admiri, to admire
bedaŭri, to regret
dimanĉo, Sunday
fini, to finish, put an end to
flanko, side
intenci, to intend
interesi, to interest
jam, already, yet
junulo, a youth
kolekti, to collect, gather
kontenta, content, pleased, satisfied
kredi, to believe, credit

lasi, to let, leave
legi, to read
manĝi, to eat
momento, moment
nomi, to name, call
parto, part, share
plori, to cry, weep
rakonti, to tell, relate
rigardi, to look (at)
semajno, week
teni, to hold, grasp, keep
tro, too (more than needed; not in sense of also)
vero, truth

Sentences to Read

1. Jozefino, mi vokis vin tiel laŭte en la strato, por ke vi aŭdu min kaj rigardu malantaŭen; mi dankas vin, ĉar vi atendis. 2. Mi intencis viziti vin, sed nun mi nur petas, ke ni staru iom flanke (aside) ĉi tie dum momento, por ke mi montru ion al vi. 3. Mi deziras ke vi rigardu mian

44

novan ĉapelon; mi ne estas tre kontenta pri ĝi, ĉar la pa-
trino diras, ke ŝi ne multe admiras ĝin. 4. Vi diros la
tutan veron, ĉu ne, ĉar mi kredos ĉiun vorton, kiun vi diros.
5. Jozefino respondis: "Jes, Paŭlino, sed antaŭ ĉio mi
devas demandi, ĉu vi jam finis mian libron de sep rakontoj
(stories), kaj ĉu ili interesis vin?" 6. "Jes kaj ne," Paŭl-
ino respondis. "Ĝis nun mi legis nur parton de via interesa
libro, ĉar mi jam havis tro multe por fari dum la nuna
semajno." 7. "Mi bedaŭras tion," diris Jozefino, "sed
antaŭ dimanĉo mi devos doni ĝin al amiko, por ke li povu
legi ĝin dum tiu tago." 8. Kun subita intereso Paŭlino tuj
demandis, "Kiu li estas?" 9. Tute tiel subite, Jozefino lasis
fali el la mano la librojn kaj ankaŭ kiujn ajn paperojn ŝi
tenis. 10. Sed tiam junulo venis el la apuda butiko kaj
rapide kolektis la librojn kaj paperojn. 11. Tiam li diris,
"Post tiel malfacile laboro, mi bezonas iom por manĝi! Vi
knabinoj devos afable veni kun mi en ĉi tiun butikon kaj
manĝi ion! Mi tenos la librojn!" 12. La knabinoj ridis,
sed ili diris, "Dankon, Roberto," kaj iris kun li en la buti-
kon. 13. Baldaŭ Roberto diris: "Jozefino, mi devos labori
dum dimanĉo por mia onklo; tial mi ne povos legi tiun libron
vian." 14. "Sep Rakontoj?" Paŭlino demandis. "Mi nun
havas ĝin." 15. "Ĉu vere?" li diris. "Tiam mi legos ĝin
post tri aŭ kvar tagoj? Ĉu mi prenu ĝin de vi, Paŭlino,
aŭ de vi, Jozefino?"

45

Lesson 11

Adverbs With N Added For Direction of Motion. Adding the letter n to the five correlative adverbs of place, also to other appropriate adverbs ending in e, enables them to express direction of motion toward a goal.

Kien ili iris? Which way (in which direction) did they go?

Tien! Ili iris tien! There! They went that way!

Venu ĉi tien, mia juna amiko! Come here, my young
   friend!

La hundoj kuris ĉien. The dogs ran in every direction.

Hodiaŭ mi iros tute nenien. Today I'll go nowhere at all.

Mi lasis leteron fali ien. I dropped a letter somewhere.

Iru antaŭen, tiam dekstren. Go forward, then to the right.

Nun ni devas iri hejmen. Now we must go home(ward).

The Preposition Da. The preposition da, of, joins quantitative nouns and adverbs to nouns of mass meaning-- that is, to nouns denoting substances of unlimited amount or undefined extent. Words denoting such substances are easily recognized by their meaning. Do not use da before the article la, numbers, or demonstrative or possessive adjectives.

Mi aĉetis sakon da pomoj. I bought a bag of apples.

Kiu deziras glason da akvo? Who wishes a glass of water?

Mi havas neniom da tempo por paroli. I have no time to
   talk.

Ĉu vi bezonas iom da helpo? Do you need some (a little)
   help?

Malmulte da neĝo falis hieraŭ. Little snow fell yesterday.

46

<u>Hodiaŭ ni havis pli multe da pluvo.</u>   Today we had more
<u>rain.</u> *

***

*The irregular English word "more" expresses quantity as well as degree; but the Esperanto word <u>pli</u> expresses degree only (see p. 31).   Therefore a quantitative word such as <u>multe</u> must follow <u>pli</u> where quantity is concerned.

***

New Words to Remember

<u>benko</u>, bench
<u>da</u>, of (see p. 46)
<u>ĝui</u>, to enjoy
<u>kafo</u>, coffee
<u>kara</u>, dear
<u>kelka</u>, some; kelkaj, a few,
   several, some
<u>kuketo</u>, cooky
<u>laŭ</u>, along, according to
<u>lavi</u>, to wash, lave
<u>marŝi</u>, to walk, march
<u>mezo</u>, middle

<u>movi</u>, to move (something)
<u>nevo</u>, nephew
<u>paĝo</u>, page
<u>plezuro</u>, pleasure
<u>sidi</u>, to sit
<u>sukero</u>, sugar
<u>taso</u>, cup
<u>telero</u>, plate
<u>teo</u>, tea
<u>trinki</u>, to drink
<u>vizaĝo</u>, face, countenance,
   visage

Sentences to Read

1. Ĉu vi du knaboj donos al mi iom da helpo?
2. Kun plezuro, kara onklino! Kion ni faru?   3. Dek unu sinjorinoj venos ĉi tien por teo; tial ĉu vi afable metos ĉi tiujn kvar seĝojn en tiun ĉambron kun la aliaj seĝoj?   4. Mi bedaŭras, ke mi devas peti, ke vi antaŭe lavu la manojn—se ne la vizaĝojn!   5. Ĉu vi jam movis la seĝojn en tiel malmulte da tempo?   Mi metis en ĉi tiun sakon kelkajn kuketojn por vi; sed afable iru el la domo por manĝi ilin.   6. Kiam la sinjorinoj fine (finally) venis, ili sidis ĉirkaŭ la granda tablo en la mezo de la agrabla ĉambro.   7. Ili parolis pri tio kaj ĉi tio, dum unu sinjorino post alia ricevis sian tason da teo.   8. Iuj deziris pli multe da sukero en siaj tasoj, aliaj bezonis neniom.   9. La onklino demandis, ĉu iu ajn deziras kafon por trinki, anstataŭ teo, sed neniu diris, ke jes.   10. Sur la tablo estis teleroj da kuketoj tiaj, kiajn la

47

du nevoj jam ĝuis, dum ili sidis sur benko laŭ la ĝardena muro. 11. Kiam la sinjorinoj fine diris dankon kaj marŝis el la domo, la du nevoj revenis en la domon tra la malantaŭa pordo, kaj remetis la seĝojn. 12. Tuj la onklino donis al tiuj nevoj ĉiujn kuketojn, kiuj restis en la teleroj sur la tablo. 13. Post malpli multe da tempo ol dek minutoj, jam ne restis sur la tablo unu kuketo. 14. Tiam la onklino diris al la knaboj, "Mi havas demandon por vi. En nova libro mia estas cent sesdek paĝoj; se mi legos dek paĝojn morgaŭ kaj en ĉiu posta (subsequent) tago, en kiom da tagoj mi finos la libron, laŭ via opinio?"

Lesson 12

The Indefinite Personal Pronoun. Oni is an indefinite personal pronoun meaning "one," "they," or "people." It is used as a subject only and is always in the singular number.

Kien oni metu sian ĉapelon? Where is one to put his hat?

Oni diras, ĉu ne, ke lia nova domo estas bela? People say, don't they, that his new house is beautiful?

Kiam oni estas juna, oni estas feliĉa. When one is young, one is happy.

The Preposition Je. Je means at, on, by, or other literal or figurative connection implied by the rest of the sentence. It often is suitable when no other preposition seems exactly right.

Lia hundo venis je mia voko. His dog came at my call.

Mi tenis la infanon je la mano. I held the child by his hand.

Nun mi laboras je nova domo. Now I'm working on a new house.

Kial vi ridas je mi? Why do you laugh at me?

The Accusative of Measure. Measurements of space and of time are expressed by words in the accusative case as well as by prepositional phrases.

Ĉambro dek kvar futojn longa. A room fourteen feet long.

Muro sep futojn alta, aŭ pli alta ol nia je tri futoj. A wall seven feet high, or higher than ours by three feet.

Afable atendu momenton! Kindly wait a moment!

Ni restos kvin tagojn. We'll stay five days.

Expression of Indirect Interest. An indirect interest in the act or state a sentence describes may be expressed

49

by al with a noun or pronoun denoting the party concerned.

Mi lavos al vi la manojn, filo mia. I'll wash your hands
for you, my son.

Kiom la domo kostos al vi? How much will the house cost
you?

Tiu malĝentila respondo kostis al la knabo bonan amikon.
That rude reply cost the boy a good friend.

Mi deziras al vi agrablan tagon. I wish you a pleasant day.

New Words to Remember

afero, thing, matter,
  affair, business
almenaŭ, at least
amuzi, to amuse
bruna, brown
certa, certain, sure
forgesi, to forget
frapi, to hit, knock
futo, foot (measure)
je, at, on, by (see p. 49)
koleri, to be angry
komenci, to commence, begin
konduki, to conduct, lead

kontraŭ, against
kontuzi, to bruise, contuse
korbo, basket
kosti, to cost
lakto, milk
larĝa, wide, broad
lerta, clever, skillful
minuto, minute (of time)
oni, one (see p. 49)
plafono, ceiling
rompi, to break
ŝtofo, cloth, fabric, stuff,
  material

Sentences to Read

1. Mi estas certa, ke tiu infano, kiu ploras tie antaŭ
nia domo, estas filo de unu el niaj najbaroj. 2. Mi supozas,
ke mi devos konduki lin al lia hejmo; kiel vere oni diras, ke
ĉies afero estas nenies afero. 3. Atendu momenton, kaj mi
diros, kiel miaj junoj fratoj ludas en nia domo, kiu estas
malnova, kun plafono 15 futojn alta, kaj ĉambroj pli grandaj
ol ni bezonas. 4. Ĝi estas bona domo en kiu unaj knaboj
povas amuzi sin. 5. Jozefo malfermis flankan pordon de la
domo kaj metis seĝon trans ĝin. 6. Sur la seĝon li metis
malnovan korbon almenaŭ du futojn longan, kies ĉirkaŭo (cir-
cumference) tial devas havi sep aŭ ok futojn. 7. Li ordonis
al la pli juna frato Andreo, ke li ne tuŝu ĝin. 8. Sed An-

dreo, anstataŭ atendi tiel longe kiel minuton, frapis la korbon per sia tuta forto kaj iom rompis ĝin. 9. Jozefo kolere kuris antaŭen por frapi Andreon, sed li falis kontraŭ la seĝon, tiel ke la korbo falis flanken de ĝi kontraŭ lin. 10. Tiu frapo de la korbo kontuzis Jozefon, kiu komencis laŭte plori. 11. La patrino aŭdis la bruon, rapidis tien, kaj ordonis, ke la knaboj venu en la domon por siaj glasoj da lakto. 12. Ŝi lavis al ili la manojn kaj vizaĝon, tiam ŝi metis ion malvarman kaj agrablan sur la malgrandajn kontuzojn iliajn kiuj bezonis tian helpon. 13. Post tio, ĉio estis agrabla; la kolero de Jozefo ne daŭris; oni forgesis pri la seĝo kaj la korbo. 14. Mi opinias ke mia fratino Ernestino certe estas lerta. 15. Hodiaŭ ŝi faris por si belan ĉapelon el bruna ŝtofo, kiun ŝi jam aĉetis ie je malgranda kosto. 16. Mi demandis kiel multajn ĉapelojn ŝi jam havas, sed ŝi nur ridis je mia demando.

51

Lesson 13

Ordinal Words. Ordinal adjectives and adverbs,
which express serial order, consist of cardinal numbers with
the respective endings a and e added. In order that such
endings may apply to the whole of a compound ordinal word
consisting of more than two numbers, the parts are joined by
hyphens.

Examples of ordinal adjectives are unua, first; dua,
second; dek-kvina, fifteenth; mil-okdek-kvara, thousand
eighty-fourth; vidu la tridek-duan paĝon, see the thirty-sec-
ond page.

Examples of ordinal adverbs are due, secondly; dek-
kvine, in fifteenth place (row, etc.); li unue parolis, he
spoke first.

Abbreviated ordinals consist of figures with a added,
as in 2a, second, 6a, sixth; and of figures with the letter e
added, as in 2e, secondly; 6e, sixthly, in sixth place.

Numeral Nouns. Numeral nouns consist of cardinal
numerals with o added, as in unuo, unit, a one; duo, a
couple; kvaro, a four, quartet; dekduo, a dozen; miloj da
mondoj, thousands of worlds.

Fractions. Nouns denoting fractions consist of cardi-
nal numerals with the suffix -on-, as in duono, a half; tri-
ono, a third; kvarono, a quarter; sep centonoj, seven hun-
dredths.

Tenses in Indirect Discourse. In Esperanto, the
tense of verbs in statements and questions quoted indirectly
remains unchanged after a past-tense introductory verb, just

as it does after an introductory verb in the present or future
tense.   (This is mentioned because it differs from usage in
English and some languages descended from Latin--in which
a specific sequence of tenses is observed.)

Mi diras, ke li atendas.   I say that he waits, is waiting.

Mi diros, ke li atendas.   I shall say that he waits, is wait-
ing.

Mi diris, ke li atendas.   I said that he waited, was waiting,
did wait.

New Words to Remember

ami, to love
bastono, stick, rod
brako, arm
daŭri, to continue, last
dolĉa, sweet
dubi, to doubt
fasko, bunch, bundle
ĝusta, exact, correct, right
kapti, to capture, catch
kompreni, to understand,
   comprehend
leciono, lesson

lerni, to learn
porti, to bear, carry, wear
preni, to take
preskaŭ, almost, nearly
renkonti, to meet, encounter
scii, to know, know how
salti, to jump, leap
skatolo, small box, case
sufiĉa, sufficient, enough
supro, top, summit; supra,
   upper; supre, above, on
   top
tamen, however, nevertheless

Sentences to Read

1. Kiam la patro de Paŭlo venis hejmon hodiaŭ, li
renkontis sian filon antaŭ la pordo de sia domo.   2. La patro
afabla diris al la knabo, "Ĉu vi jam scias viajn lecionojn?"
3. Paŭlo respondis, "Ne tute, ĉar la hodiaŭa leciono, sur la
dek-tria paĝo de la libro, estas tre malfacila.   Mi preskaŭ
ne povas kompreni ĝin.   4. Fine mi estis tiel laca, ke mi
devis veni ĉi tien por stari du aŭ tri minutojn, antaŭ ol reiri
al tiu libro."   5. Tiu sinjoro amas sian filon; tamen li iom
dubis pri ties kialo por veni al la antaŭa pordo.   Li ankaŭ
vidis, ke la filo portas sub la brako ion, kion ŝajne li de-
ziras kaŝi.   6. Sed li nur diris, "Montru la malfacilan
lecionon al mi post dek minutoj," kaj iris en la domon.

53

7. Paŭlo, kun sia skatolo da kuketoj, tuj kuris al la amikoj, kiuj lin atendis ne tre malproksime. 8. Tiam la knaboj ĉiuj marŝis laŭ la strato kaj laŭte parolis, dum ili manĝis la dolĉajn kuketojn. 9. Subite ili vidis faskon da bastonoj, kiujn iu lasis tie aŭ nur perdis. 10. Kun ĝojo la knaboj prenis ilin por ĵeti supren (upward, up) kaj kapti per salto, kiam ili falis malsupren. 11. Intereso pri tia ludo daŭris horon aŭ malpli longe. 12. Fine la knaboj rompis kelkajn bastonojn, lasis la aliajn kien ajn ili falis, kaj kuris ien, mi ne scias kien. 13. Kiam Paŭlo venis en la domon, liaj patro kaj patrino ne estis ie ajn. 14. Paŭlo trovis sur la tablo leteron, kiu diris, ke la gepatroj (parents) jam flugis Bostonon, ĉar la onklino estas tre malsana. 15. La letero ankaŭ diras, ke najbaro baldaŭ venos serĉi Paŭlon. La gepatroj lin petis esti tre bona knabo.

Lesson 14

Action or State Continuous from Past. To describe
a state or act which began in the past and still continues,
Esperanto uses the present tense (like some national lan-
guages but not English).

De dimanĉo li serĉas tion. Since Sunday he has been hunt-
ing that.

Ni estas amikoj longan tempon. We've been friends a long
time.

The Participles. Participles are adjectives from verb
roots. They are used in the verb system and also inde-
pendently. In Esperanto their endings contain the a, i, or
o which indicate present, past, or future time (as in the -as,
-is, and -os verb endings). The active participles therefore
end in -anta, -inta, -onta, as in vidanta, seeing; vidinta,
having seen; vidonta, (being) about to see; the passive par-
ticiples end in -ata, -ita, and -ota, as in vidata, being seen;
vidita, having been seen; vidota, about to be seen.

Hieraŭ mi ricevis de amiko leteron petantan iom da helpo.
Yesterday I received from a friend a letter requesting
some help.

Hodiaŭ mi povis doni al li la helpon petitan. Today I was
able to give him the help requested.

Morgaŭ li donos al mi iom da helpo bezonota de mi. Tomor-
row he will give me some help about to be needed by me.

Mi havas leteron skribitan de Andreo, per krajono, el Bos-
tono. I have a letter written by Andrew, by (means of)
a pencil, from (out of) Boston.

55

Expressing Clock Time.   Here are some examples:

Estas jam la sesa horo.   It's already six o'clock.

Venu je la dua kaj kvardek kvin.   Come at two forty-five.

Ni atendos vin ĝis la tria.   We'll wait for you until three.

Kioma horo estas?   What time is it?

Post minuto estos la dek-unua.   In a minute it will be
eleven.

New Words to Remember

blua, blue
donaci, to give as gift, donate, present
Elizabeto, Elizabeth
Heleno, Helen
homo, man (human being)
jaro, year
kesto, chest (large box)
kutimo, custom, habit
kuzo, cousin
loko, place, location
mono, money
numero, number (serial)
okulo, eye

piedo, foot
plumo, pen (also feather)
poŝo, pocket
pro, on account of, for
purpura, purple
restoracio, restaurant
rilati, to relate, refer
se, if
sola, sole, alone, only
ŝtupo, step (of stairs)
telefoni, to telephone
temo, theme, topic, subject
uzi, to use
vivi, to live

Sentences to Read

1. La hundo havas kvar piedojn, la homo havas nur
du; sed krom la du piedoj, la homo havas du manojn, kiujn
li tre lerte uzas.   2. Onklino Elizabeto ne estos kontenta
pri tiuj seĝoj donacitaj al ŝi; ili ŝajnas malbone faritaj, kaj
pro tio ili certe ne daŭros ŝian tutan vivon, se oni multe
uzas ilin.   3. Rigardu ĉi tiun plumon; vidu la belajn paĝojn
skribitajn per ĝi; mi uzas nur ĝin jam preskaŭ ok jarojn.
4. Se vi havas en la poŝo sufiĉe da mono, ĉu vi volas aĉeti
por mi la purpuran ĉapelon montratan en la unua fenestro de
tiu butiko?   5. Kioma horo nun estas?   Se ni ne rapidos,
ni ne renkontos onklinon Elizabeton apud tiuj ŝtupoj je la
ĝusta horo.   6. Mi opinias ke mi devos tuj telefoni al ŝi;
diru al mi ŝian telefonan numeron.   7. Ĉio, kion vi diras,

56

povas esti vera, sed nenio en ĝi rilatas al mia nuna temo--
la purpura ĉapelo! 8. Nia juna kuzo diras, ke danke al
(thanks to) via helpo li finos en la venonta semajno tiun belan
keston, kiun li faras por donaci al sia patrino, kiu je di-
manĉo havos tridek naŭ jarojn (will be 39 years old). 9. Ĉu
vi ofte vidas vian kuzinon Helenon, kies okuloj estas tiel
bluaj? 10. Jes, ni renkontas unu la alian en la urbo je la
dek-dua kaj duono je unu tago en ĉiu semajno. 11. Ni
kutime manĝas en restoracio aŭ alia agrabla loko; poste ni
malrapide marŝas laŭ la strato por vidi, kio estas montrata
en la fenestroj de la grandaj butikoj. 12. Ni ĝuas tion; kaj
ni vidas, kie ni poste plej bone aĉetos tion aŭ ĉi tion, kion
ni deziras--aŭ bezonas por kontente vivi.

Lesson 15

Participial Nouns. A noun can be formed from a participle (active or passive) by changing its grammatical ending from a to o. Such nouns denote persons performing or undergoing, at the indicated time, what the root expresses, as aĉetanto, (present) purchaser; aĉetinto (past) purchaser; aĉetonto, (future) purchaser; kaptinto, captor; kaptito, captive; perdito, lost (or missing) person; sendito, envoy, messenger; tenanto, holder, tenant.

Participial Adverbs. Adverbs are formed from participles by changing the ending a to e. Such adverbs modify verbs by telling of a related act or experience before, during, or after whatever the verb expresses. They always refer to the subject of the sentence.

Kurante tro rapide, li falis. Running too fast, he fell.

Helpite, li reiris. Having been helped, he went back.

La infano laŭte ploris, falonte el sia lito. The child cried loudly, being about to fall out of his bed.

Cognate Accusatives. Verbs that are intransitive (cannot take direct objects) may be used with nouns in the accusative which have the same roots as those verbs, or at least express their general sense. Such a verb and noun are said to be of kindred meaning, or cognate.

Nia avo vivis bonan vivon. Our grandfather lived a good life.

Andreo kuris rapidan kuron hodiaŭ. Andrew ran a fast run today.

Kiu saltis la plej bonan salton? Who jumped the best jump?

Mi ĵetis belan ĵeton. I made a fine cast (threw a fine throw).

Adverbial Use of Nouns in the Accusative.   An adverb
followed by a noun or pronoun in the accusative may be used
instead of the longer adverbial participle or prepositional
phrase.

Mi venis responde ŝian leteron (respondante al ŝia letero).

   I came in response to her letter.

Mi ne diros vorton rilate tion (rilatantan al tio, en rilato al

   tio).   I'll not say a word in relation (in regard) to that.

New Words to Remember

aĝo, age
apenaŭ, hardly, scarcely
aŭskulti, to listen
avo, grandfather
eĉ, even (adverb)
elekti, to elect, select,
   choose
frukto, fruit
gaja, gay, merry
ideo, idea
instrui, to instruct, teach
inviti, to invite

kreski, to grow
kuko, cake
mebli, to furnish; meblo,
   piece of furniture
nepo, grandson
peco, piece
pensi, to think, cogitate
plendi, to complain
prava, right (in conduct or
   opinion)
sen, without
ŝanĝi, to change (something)

Sentences to Read

1. Via juna fratino multe kreskis de kiam mi vidis
ŝin; ŝi havas dek tri jarojn, ĉu ne, kiel mia fratino?
2. Jes, vi estas prava pri ŝi aĝo.   La sinjorino sidanta kun
la du knabinoj instruas infanojn dum kvin tagoj en la semajno,
kaj ili ĉiuj amas ŝin.   3. Aŭskultu al mi: ni movu kelkajn
meblojn!   Unue ni ŝanĝu la lokon de la alta kesto; ni metu
ĝin je la alia flanko de la ĉambro, meze de la muro.
4. Nun ni metu la tablon tien, kie la kesto antaŭe staris; kaj
ni devos ŝanĝi la lokon de kelkaj ŝegoj.   5. Mi demandas
min, kion la patrino diros!   Ŝi jam diris, ke ŝi pensas pri
kelkaj novaj mebloj; ni jam faris sufiĉan lokon por ili.
6. Vizitante la avon kaj avinon hieraŭ vespere, mi demandis,

kiom da mono la trovinto de ilia perdita hundo ricevis.

7. La avo nur ridis kaj ŝanĝis la temon: li diris, ke de la kvara ĝis la sesa li restis kaŝata en sia ĉambro sen helpo, ĉar multaj virinoj venis en lian domon. 8. La avino ridis gajan ridon je tiu ideo; ŝi diris, ke ŝi invitis ilin por paroli pri antaŭe elektita nova libro. 9. Li ridis, tiam plendis, ke ili manĝis belan kukon, kiun li antaŭe vidis. 10. Apenaŭ li diris tion, kiam ŝi montris al ni tasojn da teo, teleron da kuko, kaj du pomojn, ĉiujn por la avo kaj mi. 11. La avo ridis kaj diris; "Mi estis tute malprava! Mi havas nenian kialon por plendi! La nepino kaj mi ne legis la elektitan libron; tamen vi donas al ni tasojn da teo, pecojn da kuko, kaj eĉ iom da frukto, nome, ĉi tiujn belajn grandajn ruĝajn pomojn!"

Lesson 16

The Active Voice of Verbs in the Indicative Mood.
Verb forms which represent the subject as acting in a speci-
fied way or being in a specified state (or that are imperson-
al) are said to be in the active voice of the indicative mood.
These verb forms include both simple (one-word) forms and
compound tenses. In Esperanto the compound tenses consist
of active participles combined with forms of esti as the aux-
iliary verb; they are used mainly to mention one act or state
in relation to another or to emphasize the precise time of
acts or states described.

Li estis venanta ĉi tien, dum mi estis iranta tien. He was
   coming here while I was going there.

Estu atendanta kiam mi venas! Be waiting when I come!

Baldaŭ li estos forgesinta nin. Soon he will have forgotten
   us.

      The Passive Voice of Verbs. Verbs in the passive
voice represent the subject as being acted on. In Esperanto
this voice in the indicative mood consists of the passive par-
ticiples with forms of esti.

Li estas vidata. He is (being) seen.

Li estas vidita. He has been seen.

Li estas vidota. He is about to be seen.

Li estis vidata. He was (being) seen.

Li estis vidita. He had been seen.

Li estis vidota. He was about to be seen.

      The estis -ita form is widely used to express not

only the pluperfect passive, but also the passive of the past tense (preterite), especially in verbs that do not have a feeling of duration. Such verbs are: ĵeti, perdi, forgesi.

La ŝuoj estis perditaj.   The shoes were lost.

La glaso estis rompita.   The glass was broken.

Li estos vidata.   He will be seen.

Li estos vidita.   He will have been seen.

Li estos vidota.   He will be about to be seen.

Esti vidata, to be seen; esti vidita, to have been seen; esti vidota, to be about to be seen.

Estu vidata, se vi devas!   Be seen, if you must!

Possessive Compound Adjectives.   A noun, with an adjective (or its root) prefixed, may become an adjective meaning "possessed of" or having what the combination indicates, as bluokula, blue-eyed; bonintenca, well-intentioned; dikmura, thick-walled; dekĉambra, ten-room(ed); kvarpieda, four-footed, quadruped; laŭtvoĉa, loud-voiced; sesjara, six-year-old; unubraka, one-armed; unuflanka, unilateral. Figures set off by hyphens may replace spelled numbers, as in 10-ĉambra, 21-jara.

New Words to Remember

ankoraŭ, still, yet
Bernardo, Bernard
defendi, to defend
efektiva, actual, real
familio, family
fojo, time, instance
fraŭlo, bachelor; fraŭlino, young lady, miss
ĝeni, to bother, disturb
inter, between, among
kapo, head
koni, to know (be acquainted with)

koro, heart
loĝi, to live, reside, lodge
monato, month
pasi, to pass, go by
persono, person
propra, (one's) own
saluti, to salute, greet
sani, to be well, in good health
sekvi, to follow
super, above (preposition)
timi, to be timid, to fear
vojo, way, road, route

Sentences to Read

1. Kiel vi sanas (how are you), mia amiko? Tre bone, mi dankas. Mi deziras demandi pri la sano de via avo. 2. Havante malfortan koron, li jam estas malsana preskaŭ tri monatojn. 3. Mi tre malĝojas, aŭdante tion. Diru al li plej amikan saluton de mia tuta familio. 4. Maljunaj personoj pensas pli multe pri la jaroj pasintaj ol pri la nuna tempo. 5. Jes, kaj ne estas tre agrable havi malmultajn konatojn (acquaintances) de via propra aĝo kaj esti preskaŭ forgesita homo. 6. Ĉu vi konas tiun belan fraŭlinon pasantan laŭ la alia flanko de la strato, kun la sinjorino kiu portas purpuran ĉapelon? 7. Ankoraŭ ne, sed mi scias ke ŝi estas Fraŭlino B-- kaj loĝas en domo ne malproksima de ĉi tie, kun tiu avino sia, kiu rekonis (recognized) min kiel najbaron. 8. Oni diras ke la nova vojo inter via strato kaj mia estos finita en la daŭro (duration) de du jaroj; laŭ unu flanko ĝi jam estas finita la tutan longon. 9. Mi timas, ke ĝi kostos al la urbo multe pli multe ol oni unue atendis. 10. Mia amata frato, ne venu ĉi tien kun tiu hundo! Vi ĝenas nin! 11. Sed rigardu, fratino, kiel lerte li marŝas per la du malantaŭaj piedoj! Efektive, li faras tion, ĉiun fojon, por la du pecoj da sukero, kiujn mi tenas alte super lia kapo, dum li sekvas min, marŝante kiel homo! 12. Tamen, Bernardo, mi devus defendi miajn vizitantojn! Mi petas, ke vi kaj via kvarpieda amiko iru el la domo por amuzi vin! Atendu momenton! Prenu kun vi ĉi tiujn kuketojn! Kaj mi dankas vin.

Lesson 17

The Intensive Word Mem. The noun and adjective mem, self, selves, does not take grammatical endings (except to form the abstract noun memo, self). It emphasizes the word it follows.

Ŝi mem demandos pri tio. She herself will ask about that.

Ni ne loĝas en la urbo mem. We don't live in the city itself.

La patrino pli amas sian infanon ol ŝi amas sin mem. The mother loves her child more than she loves her own self.

Legu mem la leteron. Read the letter yourself (yourselves).

Expression of Greeting, Farewell, Various Emotions. Words in the accusative (regarded as objects of verbs not spoken) are used to express greeting, farewell, gratitude, annoyance, and the like.

Bonan matenon! Bonan tagon! Bonan vesperon! Bonan nokton! Good morning! Good day! Good evening! Good night!

Bonan sanon al vi ĉiuj! Good health to you all!

Multan dankon pro la floroj! Many thanks for the flowers!

The Predicate Nominative. Words remaining in the nominative case help verbs of certain meanings to describe their action on their objects. Such verbs are those meaning to find, show, make; consider or think; name, elect or choose; and others like them.

Ĉu vi trovis la pomojn bonaj? Did you find the apples good?

64

<u>Li vere montris sin amiko.</u>	He truly showed himself a friend.
<u>Mi faros tiun seĝon pli forta.</u>	I'll make that chair stronger.
<u>Kiu opinias la respondon ĝusta?</u>	Who thinks the answer right?
<u>Kiuj kredas ĝin tute malĝusta?</u>	Who believes it all wrong?
<u>Vi lasis la pordon malfermita.</u>	You left the door open.
<u>Ni elektu Paŭlon nia parolanto.</u>	Let us elect Paul our speaker.
<u>Ili nomis sian unuan filon Arturo.</u>	They named their first son Arthur.
<u>La duan filon ili nomis Bernardo.</u>	The second son they named Bernard.

New Words to Remember

<u>aparteni</u>, to belong, pertain
<u>buŝo</u>, mouth
<u>butono</u>, button
<u>grava</u>, grave, important
<u>Karolo</u>, Charles
<u>kvankam</u>, though, although
<u>laŭdi</u>, to praise, laud
<u>ligno</u>, wood
<u>mem</u>, self, selves (see p. 64)
<u>milda</u>, gentle, mild
<u>mondo</u>, world

<u>obei</u>, to obey
<u>okazi</u>, to happen, occur
<u>pardoni</u>, to pardon, forgive
<u>plaĉi</u>, to be pleasing, to please (some one)
<u>plena</u>, full
<u>precipa</u>, principal, main
<u>riproĉi</u>, to reproach, scold
<u>saĝa</u>, wise, sage
<u>vojaĝi</u>, to voyage, journey, travel

Sentences to Read

1. Bonan vojaĝon! Mian plej aman (affectionate) saluton al via patrino! Ne forgesu pri leteroj! 2. Saĝa amiko mia, parolante al mi antaŭ ne longe, diris, ke iom de la malkontento en la mondo okazas precipe pro tio, ke oni ne sufiĉe pensas aŭ sufiĉe parolas pri la kialoj de gravaj okazoj (events) de nia tempo. 3. Li mem kredas ke tro multaj el ni ankaŭ faras malgravajn aferojn la plej gravaj en niaj vivoj. 4. Sen dubo li estas prava pri kelkaj el tiuj ideoj. 5. Hodiaŭ mia trijara frato Karolo kaj mi vizitis

nian avinon. 6. Ofte ŝi ridante nomas lin ŝia plej amata nepo--kvankam efektive li estas ŝia sola nepo. 7. Kutime li bone obeas, ankaŭ diras "dankon," "pardonu min," kaj "se plaĉas al vi" (if you please), kio ĉiam plaĉas al ŝi; tial ŝi laudas lin. 8. Hodiaŭ ni apenaŭ venis en la domon antaŭ ol li vidis malgrandan skatolon el bela ligno sur malalta tablo. 9. Tro malfrue mi ordonis, "Ne tuŝu ĝin! Tiu apartenas al la avino mem!" Jam li prenis kaj malfermis ĝin, lasante butonojn fali el ĝi ĉien. 10. La avino ne riproĉis lin; ŝi nur diris milde, prenante la malplenan skatolon el liaj manoj, "Nun ni kolektos la butonojn! Poste ni ĝuos niajn glasojn da lakto kun bonaj kuketoj!" 11. Al mi, kiu sidis sur la planko kolektante butonojn, ŝi diris, "Ne tro multe ĝenu vin pri tiuj, mia kara! Mi ne lasos Karolon sola en la ĉambro; se li deziros meti butonon en la buŝon, ni vidos kaj povos malhelpi tion." Ĉi tiun fojon, kiel ofte antaŭe, mi lernis de la avino, kiel paroli kaj kion fari pri mia juna frato, kiam ajn li faras ion tute ne atenditan, kiun li ne devus fari.

Lesson 18

The Conditional Mood of Verbs.   Rather than telling
or inquiring about facts, verbs in the conditional mood mere-
ly express some attitude toward them.   In Esperanto the one
simple tense in this mood ends in us.   Compound tenses are
formed by combining participles with estus, the conditional
form of esti, as the auxiliary verb.

Oni ĉiam devus esti ĝentila.   One always should be polite.

Kiu estus farinta tion?   Who would have done that?

Mi neniam aĉetus tian ĉapelon.   I never would buy such a
   hat.

Conditional Sentences.   A conditional sentence consists
of an assumption (the "if" clause, also called condition) and
a conclusion.*   When the verbs in conditional sentences are

---

*Conditional sentences having verbs in the indicative
mood deal with facts.   Examples of factual conditional sen-
tences in foregoing lessons are as follows: 13, no. 13;
14, nos. 2, 4, 5; 16, no. 12.

---

in the conditional mood, they present only assumptions and
conclusions about the matters mentioned.

Se li estus ĉi tie, li volonte helpus.   If he were here, he
   would help willingly.

Se li venus, ni kune laborus.   If he should (were to) come,
   we would work together.

Se vi aŭskultus, vi komprenus.   If you would listen, you
   would understand.

Se vi estus irinta tien, vi estus vidinta ilin.   If you had

67

gone there, you would have seen them.

Se antaŭe tiu viro estus helpita, li nun estus laboranta.

If previously that man had been helped, he would now be working.

New Words to Remember

adresi, to address (as envelopes)
atenti, to pay attention
aŭtomobilo, automobile
bati, to beat, strike
ĉesi, to cease, desist from
ĉielo, sky, heaven
dormi, to sleep
festa, festive
fulmo, lightning
grupo, group
ĵurnalo, journal, newspaper
kvazaŭ, as if, as it were

lando, land (earth surface)
necesa, necessary
nepre, unfailingly
nokto, night
policano, policeman
pli, more
tiri, to draw, pull, tug
tondro, thunder
trankvila, tranquil, calm
tremi, to tremble
vento, wind
verda, green

Sentences to Read

1. Frue hieraŭ matene, mia juna kuzino Ernestino kaj mi ĝuis agrablan veturon tra bela verda kamparo, por vidi interesan novan domon. 2. La pluvo kaj vento, kun fulmo kaj tondro, jam ĉesis, la ĉielo estis blua, kaj la tuta mondo ĉirkaŭ ni estis trankvila, kvazaŭ ĝi estus festa tago. 3. En la frua vespero mi iris duan fojon el la domo, por aĉeti ĵurnalon. 4. Dum kelka tempo mi veturis laŭ la permesata rapido; baldaŭ mi devis iri tre malrapide, pro infanoj ludantaj apude. 5. Ili kuris tien kaj ĉi tien, atentante sole al sia brua ludo. 6. Subite unu knabo, lasante sian grupon, kuris transen inter du starantaj aŭtomobiloj. 7. Uzante mian tutan forton--kaj mi estas forta viro--mi feliĉe tiris mian automobilon flanken. 8. Se mi ne estus povinta (hadn't been able) fari tion, mi nepre estus frapinta lin; mi estas certa ke mi ne tuŝis lin, tamen mi tuj malfermis la aŭtomobilan pordon por iri al li. 9. Mi preskaŭ tremis, pensante pri tio, kio povus esti okazinta. 10. Sed

68

li, ŝajne timante, ke mi riproĉos aŭ eĉ batos lin, kuris al la domoj, inter du el ili, kaj tute el vido (sight). 11. Jam ne restis sur la strato eĉ unu infano el tiu tuta grupo. Kion fari? 12. Post mallonga serĉo, mi trovis policanon, al kiu mi rakontis la okazon, dirante al li mian nomon, adreson, kaj tiel plu (etc.) 13. Anstataŭ dormi la pasintan nokton, mi maldormis en mia lito, pensante malagrablajn pensojn pri tio, kio povas okazi tra la lando, kiam ajn oni veturas sur stratoj, kie infanoj ludas.

Lesson 19

The Dual Pronoun Ambaŭ.* The dual pronoun and

*The dual pronoun in Esperanto source languages probably developed very long ago to refer to obvious groups of two, as eyes, ears, arms, oxen under a yoke, later the horses drawing a chariot. There appear to be some forms for the dual number in verbs in certain very old manuscripts.

pronominal adjective ambaŭ means "both." It does not take grammatical endings.

Ambaŭ parolis; mi aŭdis ambaŭ. Both spoke; I heard them both.

Tenu la sakon per ambaŭ manoj! Hold the sack by both hands!

The Personal Pronoun Ci. A second or special personal pronoun, ci, thou, with an accusative form cin, thee, and the possessive case cia, thy, thine, is used in prayer. It is also used in addressing members of one's family, intimate friends, and small children, by those Esperantists whose native or national language (or religious customs) especially use such a pronoun.

Dependent Compound Nouns. A noun of new meaning may be formed by joining two nouns in the order opposite to that in which a preposition would connect them. In Esperanto the grammatical ending of the first noun is omitted, unless it needs to be retained for euphony.

hundodomo, dog house (domo por hundo, por hundoj)

jarcento, century (cento da jaroj)

mangôĉambro, dining room (ĉambro por mangôj)

piedbato, kick (bato per la piedo)

tagmezo, midday, noon (mezo de la tago)

vidpovo, vision (povo de vido)

sindefendo, self-defense (the reflexive pronoun si in the ac-
cusative case is used as the first part in this and similar
compounds.)

   Copulative Compound Words. Compound words in
which the parts are coordinate, none affecting any other, are
called copulative.*

fulmotondro, storm (thunder and lightning)

demandresponda leciono, question and answer lesson

landakva tuto, terraqueous (land and water) total

Tiu bruo neniam ĉesas; ĝi estas tagnokta ĝeno.   That noise
never stops; it's a day and night nuisance.

*Compound numbers expressed in two or more words
are copulative compounds.   If they are longer than two
words, their parts usually are joined by hyphens (milsepcent-
kvindek-ok, 1,758) if they are written in continuous text (not
isolated as in Lesson 9).

New Words to Remember

branĉo, branch
brili, to shine
de, at, with, near to
edzo, husband; edzino, wife
ekster, outside of
for, away (from), forth
kompanio, company, firm
krii, to cry, shout
okupi, to occupy, employ
preter, beyond, past

prezidi, to preside
promesi, to promise
reĝo, king
senti, to feel
sonĝi, to dream (in sleep)
suno, sun
ŝteli, to steal, purloin
tero, earth
tranĉi, to cut
vico, turn, rank, row

Sentences to Read

   1. Estas ankoraŭ la nokto sur unu flanko de la tero,
dum estas jam la tago sur ĝia alia flanko.   2. Tiu amiko

71

via estas okupata ĉe la kompanio, kiu hieraŭ elektis lian patron prezidanto, ĉu ne? 3. Jes, kaj mia amiko kaj lia edzino estas tre kontentaj pri tiu elekto. 4. Post tiu mallonga fulmotondro hieraŭ je la tagmezo, du junaj nepoj de najbarino nia, nun vizitantaj ŝin, venis preskaŭ ĝis nia domo, kvazaŭ serĉante ion novan por fari en ĉi tiu parto de la mondo. 5. Ili baldaŭ vidis sub arbo la mallongajn branĉojn, kiujn mi tranĉis kaj lasis ekstere tie por kolekti morgaŭ en faskojn. 6. Ambaŭ knaboj gaje saltis sur la branĉojn; post kelkaj minutoj ĉiu komencis laŭvice ĵeti branĉon kontraŭ la fraton. 7. Ili lerte defendis sin, kaj ambaŭ laŭte kriis kaj ridis, kiam ajn ĝuste ĵetita branĉo tuŝis unu knabon aŭ la alian. 8. Mi efektive sentis min tro varma, nur vidante tra fenestro kiel forte la knaboj ludis sub la forte brilanta suno. 9. Subite la pli granda knabo kaptis la branĉon tenatan de lia frato kaj ĵetis ĝin preter la arbon. 10. Mi aŭdis la tujan plendon, "Vi ŝtelis mian branĉon!" 11. Sekvis batoj kaj piedbatoj inter la jam plorantaj fratoj. 12. Post unu aŭ du minutoj venis la avino, kiu konsilis, ke ili ĉesu kaj tuj iru for de ĉi tie kun ŝi. 13. Ambaŭ knaboj devis resti horon en siaj dormo-ĉambroj, ĉiu sur propra lito. 14. Post horo ili venis eksteren al ŝi, tute trankvilaj. Unu rakontis al ŝi sian sonĝon, ke li estas reĝo en malproksima lando; la alia diris, ke li ĝuis bonan dormon, tute ne sonĝante (without dreaming at all); tial li sentis sin en pli bona sano.

Lesson 20

Descriptive Compound Words. Words of new mean-
ing, called descriptive compounds, are formed by prefixing
--to a noun, verb, adjective, or adverb--another word (or
its root) which makes the whole have a new meaning. The
following examples are grouped according to the parts of
speech used as a first element.

(Prepositions) Alveni, to arrive; aldoni, to add;
antaŭdiri, to predict; denove, anew; eltrovi, to discover;
enhavi, to contain; kunveni, to assemble; preterlasi, to let
pass, overlook; senzorga, careless.

(Adverbs) Ĉiamdaŭra, perpetual; forkurinto, run-
away, fugitive; multekosta, expensive; nenecesa, unneces-
sary; nuntempe, nowadays; plimulto, majority; plivole,
preferably, rather.

(Nouns) Brakseĝo, armchair; fruktodona, fruitful;
homplena, populous, crowded; homsimila, anthropoid;
meminstruita, self-taught; partopreni, to share; piediri,
to walk, go on foot.

(Pronouns, Used Adjectively) Ambaŭmana, ambidex-
trous; ĉiopova, all-powerful, omnipotent; ĉiuhora, hourly;
ĉiujara, annual; tiutempa, at that time; tiurilate, in that
regard.

(Verbs) Dormomarŝi, to sleep-walk, somnambulate;
scivoli, to wish to know, to be curious; ŝteliri, to go
stealthily, slink; tirkesto, drawer; trembrili, to sparkle.

It is well to test any temporary descriptive compound

73

one makes, to be sure that a word of new meaning really
has been made. If the sense of a combination of two words
does not differ from their sense standing apart, a "false"
compound has been produced. Examples of false compounds
are bonamiko, longtempo, novĉapelo, tutcerte, tutmondo,
bonfarita, novelektita, antaŭenkuri, supreniri, pardonpetas.
Using false compounds in Esperanto is like writing in Eng-
lish: "My dearfriend hasn't had any newhat for a longtime, "
or "Her little boy wants to runahead and goup the steep-
steps. "

New Words to Remember

bildo, picture
ĉefa, chief
eraro, error, mistake
fuŝi, to bungle, botch
ja, indeed (emphasizing the
  next word or phrase)
ĵus, just (a short time ago)
kolo, neck
kostumo, costume, dress
kudri, to sew
maniko, sleeve

preta, ready
promeni, to walk, ride, sail,
  etc., for pleasure
revo, reverie, daydream
sama, same
spegulo, mirror
stulta, stupid, dumb
surprizi, to surprise
ŝpari, to save, spare
vesti, to clothe, dress
zorgi, to care (about, for)

Sentences to Read

1. Antaŭ kelkaj tagoj mia dek-sep-jara fratino Heleno
donis al nia pli juna fratino Elizabeto sian verdan kostumon.
2. Ŝi diris, kiel ĉefan kialon por ne plu porti ĝin, ke ĝi
nun estas tro malgranda por ŝi; plue (furthermore), Eliza-
beto admiras ĝin kaj longe deziris ĝin. 3. Je la sama tago,
Heleno aĉetis sufiĉe da bela blua ŝtofo por fari por si novan
kostumon. 4. Zorge ŝi eltranĉis la necesajn pecojn kaj kun-
kudris ilin. 5. Kvankam ŝi bone scias fari kostumojn, ĉi
tiun fojon ŝi iel faris gravan eraron, malĝuste eltranĉinte
aŭ kunmetinte la pecojn. 6. Ĉiaokaze (in any event), mi
frapis je la pordo de ŝia ĉambro, por doni al ŝi leteron ĵus
alveņintan, kaj malfermis la pordon laŭ ŝia permesa "eniru!"

74

kiun mi aŭdis. 7. Kiel surprizan bildon mi tiam vidis!
Heleno staris antaŭ la spegulo, malgaje rigardante sin vesti-
tan en la vesto (garment), kiun ŝi ĵus tiel zorge kunmetis.
8. Ŝi montris al mi, kiom la manikoj kaj kolo estas mal-
ĝustaj, ankaŭ aliajn erarojn; malgaje. ŝi nomis sin stulta,
priploris (lamented) la malŝparon de tempo kaj laboro, kaj
diris, ke ŝi devos forĵeti la tutan kostumon. 9. Fine mi
povis interrompi, dirante, "Ja, forĵetu ĝin, se vi devas!
Sed venu kun mi al la urbo, kaj ni trovos kostumon laŭ via
revo!" 10. Plaĉis al ŝi mia invito, kaj baldaŭ ŝi estis
preta iri. 11. Ni aĉetis bluan kostumon, kiun ŝi elektis,
kaj pri kiu ŝi ŝajnis tute kontenta. Tiam ni ĝuis tasojn da
kafo en apuda restoracio. 12. Dum ni veturis hejmen,
Heleno duan fojon dankis min, dirante, ke mi faris ŝin tre
feliĉa. Tial mi mem sentis min feliĉa, pro ĉi tiu agrabla
promeno al la urbo kaj pro la kostumo kiun mi aĉetis.
(Post ĉio, la tuto ne kostis al mi tro multe da mono!)

Lesson 21

Unu As A Pronoun. The numeral <u>unu</u> can serve almost as an indefinite article; it may then take plural form.
<u>Unu virino havis dek filojn.</u> A (certain) woman had ten sons.
<u>Unuj estis bonaj, aliaj malbonaj.</u> Some were good, others were bad.
<u>Unu tagon, letero venis.</u> One day a letter came.

Time As Stated By Derived Adverbs. Adverbs from roots denoting time may indicate repeated instances, in contrast to accusatives expressing duration or point of time.
<u>Li laboras nokte kaj dimanĉe.</u> He works at night and on Sunday (works nights and Sundays).
<u>Kutime mi venas dimanĉe.</u> Usually I come (on) Sundays.

Conjunctions in Pairs. When similar or contrasting objects, acts, or states are mentioned with conjunctions introducing and connecting them, Esperanto usually repeats the first conjunction used, rather than changing to a different one.
<u>Aŭ li aŭ ŝi devus iri.</u> Either he or she ought to go.
<u>Venu, ĉu pluvas, ĉu ne pluvas.</u> Come whether it rains or not.
<u>Tio estas nek blua nek bruna.</u> That is neither blue nor brown.
<u>Vi embarasas kaj lin kaj ŝin.</u> You embarrass both him and her.

The Adverbs Ju and Des. The pair of adverbs <u>ju...</u> <u>des</u>, "the...the," may accompany the adverb <u>pli</u> in comparisons.

76

Ju pli forte neĝas, des pli multe la infanoj ĝojas. The
harder it snows, the more the children rejoice.
Ju pli forte oni laboras, des pli frue li finas la laboron.
The harder one works, the earlier he finishes the work.*

*The English word which translates ju and des was in
one of the oblique cases of the early pronoun which weakened
into the definite article of today. The... the still functions in
adverbial use with comparatives, meaning approximately "by
how much more, ...by that much more..."

New Words to Remember

beni, to bless
ĉagreni, to vex, chagrin,
   disappoint
ĉarma, charming
celo, aim, goal, purpose
embarasi, to embarrass
horloĝo, timepiece, clock
hotelo, hotel
kato, cat
konduto, conduct, behavior

konvena, suitable, proper
kuseno, cushion
nek, neither, nor (conjunc-
   tion; see p. 76)
ofico, office, position,
   function, post
peli, to drive, chase away
simila, similar, like
tasko, task
vendi, to sell

Sentences to Read

1. La granda horloĝo tie ne marŝas (isn't going); ĉu
vi afable diros al mi la ĝustan tempon? 2. Kie en la hotelo
oni vendas ĵurnalojn? Amiko mia nun havas por celo ŝanĝi
okupon. 3. En la ofico, kiun li nun tenas, li nek uzas sian
tutan scion en siaj taskoj nek ricevas tiom da mono, kiom
lia familio bezonas. 4. Li kaj lia edzino havas ĉarman
kvarjaran filinon, kies nomo estas Paŭlino. 5. Ili ankaŭ
havas afablan kuzinon, kiu amas Paŭlinon kvazaŭ tiu knabino
estus ŝia propra infano. 6. Malfeliĉe ju pli multe da dona-
coj tiu bona sinjorino donas al Paŭlino des pli mallerte ŝi
elektas ilin. 7. Antaŭ kvar aŭ kvin tagoj ŝi donacis al la
knabino belan katon eĉ kun kuseno por ĝi. 8. Sed Paŭlino

77

ne amis la katon; kontraŭe, ŝi timis ĝin. 9. Kiam ajn ĝi venis al ŝi, tiam ŝi ploris kaj petis, ke oni tuj pelu ĝin de ŝi. 10. Tiel konduti ne estis ĝentile al la kuzino; tamen, oni ne devas esti ĉagrenata je la konduto de tiel juna persono. 11. Se tiu kuzino estus antaŭe demandinta ĝuste, kion Paŭlino deziros ricevi, nepre ŝi estus ŝparinta iom de la mono jam malŝparita por donacoj ne konvenaj. 12. Ĉio ĉi tio embarasas kaj la patron kaj la patrinon de Paŭlino, kiu sen dubo benos la tagon, por tiel diri (so to speak), je kiu la afabla kuzino ŝanĝos sian kutimon rilate al donacoj. 13. Anstataŭ mem elekti donacon por Paŭlino, ŝi devus telefoni al la patrino kaj demandi, kion Paŭlinon plej ĝoje ricevos. 14. Tamen, kiu povus doni konsilon ne petitan al tiu bonkora kuzino?

Lesson 22

Word Order. The normal order of words in Esperanto has been shown in preceding lessons, together with the special position of adverbs. A reasonable variation for emphasis, clarity, and euphony is permissible. An unemphatic personal pronoun which is the object of the verb is often placed just before the verb (with somewhat the same result as colloquial English sent 'em, let 'im, help 'er).

Mi jam lin helpis pli multe ol mi devus. I already helped him more than I ought.

Kie ajn li ĝin lasis? Where in the world did he leave it?

Ni sekvis lin ĉi tien kaj ni lin trovos. We followed him here and we'll find him.

Hodiaŭ aŭ morgaŭ ni povos ilin sendi. Today or tomorrow we can send them.

Interjections. Interjections are minor parts of speech which express feeling or call attention to something. One of them (jen) often receives the ending a or e, to form an adjective or adverb that points out something. Another (fi) serves as the first part of a descriptive compound expressing moral weakness or depravity.

Jen! Behold! Look! Jen mi estas! Here I am! Jen ĝi estas! There it is!

Jen ili venas! Jen ili iras! Here they come! There they go!

Li donis la jenajn ordonojn. He gave the following orders.

La viroj respondis jene. The men answered as follows.

Fi! Shame! Fie! Fihomo, scoundrel; filibro, disgusting

79

book; fiparolo, bad word.

Nu, ĉu vi ja komprenas? Well, do you indeed understand?

Elision. Mainly in poetry, the final o of a noun may
be replaced by an apostrophe; and the article la may be re-
duced to l' before a noun beginning with a vowel, and after a
word ending in a vowel (or diphthong), as in ĉe l' adreso,
de l' alveno, pro l' fakto. The sound heard is actually ĉel
adreso rather than ĉe l' adreso; del alveno (not de l' alveno);
prol fakto (not pro l' fakto) so that the noun remains in-
stantly recognizable. Here are some examples from favorite
poems: "Ho, mia kor'! Ne batu maltrankvile!" "Al la
mond' eterne militante..." "Sub la sankta signo de l' es-
pero..." "...milaroj da steloj de l' blua ĉiel' "; "Al Vi,
granda fonto de l' amo kaj vero: '*

*Elision of only o from nouns and a from the article
la is authorized. (Fundamento de Esperanto, Reg. 16 and
Ekz. 27).

A Letter

Bostono, la 11an de marto (March)

Kara Ernesto,

Mi supozas ke vi ne atendis ricevi de mi leteron
skribitan en via granda kaj interesa urbo. Mi alvenis ĉi
tien hieraŭ, kaj mi restos kelkajn tagojn en la hotelo, kies
nomon vi vidas ĉe la supro de ĉi tiu papero. Mi venis
ĉefe por paroli tiom, kiom mi povas, al iuj lertaj amikoj,
pri io nova, kion nia kompanio (kies prezidanto mia patro nun

estas) intencas fari post kelkaj monatoj.

Ĉu vi povos veni al la hotelo por ĉefmanĝo (dinner) kun mi unu vesperon antaŭ la fino de la semajno? Tio farus al mi grandan plezuron. Mi multe deziras paroli al vi pri tiu ideo nia, por ke mi ricevu vian opinion kaj konsilon, por havi krom nia propra bontrovo (judgment). Kiam mi vidos vin, mi povos priskribi ĝin tutan. Sed ne timu, ke mi parolos senfine pri nia intenco kaj niaj esperoj! Mi ja scias, ke bona amiko lasos al la alia persono duonon de ilia tempo kune, por ke la alia povu siavice paroli pri si, sia familio, siaj ideoj, kaj siaj propraj aferoj!

Antaŭ ĉio, mi deziras revidi vin, bonan amikon el la pasintaj jaroj, dum kiuj ni ludis kaj laboris kune en la hejma urbo. Kiom da bruo ni knaboj faris! Kiel forte ni defendis nin kontraŭ la malagrabla devo lerni lecionojn! Ĉiam vi sciis ilin pli bone ol mi! Kaj kiel ofte, responde al mia senespera peto, vi min helpis je tio, kion mi kore malamis-- nome, "ĉehejma tasko."

Mi esperas ke vi havos en la poŝo kelkajn bildojn de via familio. Preskaŭ ĉiam mi mem povas eltiri el la poŝo unu aŭ du novajn bildojn tiajn. Sendube vi ankaŭ faras tion.

Bonvole telefonu aŭ skribu al mi je kiu tago vi plej facile povos veni. Mi ja esperas ke vi havos vesperon libera por tiel afable renkonti min. La numero de mia ĉambro ĉi tie estas 615.

Kun tutkora saluto,

Karolo B-------

Lesson 23

The Prefixes. Esperanto has nine general prefixes for use with the major parts of speech (verbs, nouns, and adjectives). Three (mal-, re- and dis-) have such meaning that with suitable endings they have become useful independent words.

Bo- denotes relation by marriage; bofilo, son-in-law; bopatrino, mother-in-law; bokuzo, cousin by marriage, cousin-in-law.

Dis- indicates dispersal or scattering: disdoni, to distribute; disfali, to fall apart, collapse; dispeli, to dispel; disrompi, to break up, disrupt; disa, sparse, apart, asunder; dise, sparsely.

Ek- indicates beginning or brevity of the act expressed by the verb, noun or adjective to which it is prefixed: ekbrilanta, flashing; ekdormi, to fall asleep; ekkrii, to cry out, exclaim; ekplori, to burst into tears; ekscii, suddenly to know, to find out; ekvido, a glimpse.

Eks- means ex, former: eksprezidanto, ex-president; ekspolicano, former policeman; eksedzino, divorcee.

Ge- indicates inclusion of both sexes: gepatroj, parents; geavoj, grandparents; genepoj, grandchildren; gefratoj, brother(s) and sister(s); gelernantoj, boy and girl pupils.

Mal- forms antonyms. (See p. 22). Independent words are: mala, opposite, converse, reverse; male, conversely, on the contrary, on the other hand.

82

Mis- adds the sense of wrongly, improperly; mis-adresi, to misaddress; miskompreni, to misunderstand; mis-konduto, misconduct; mislegi, to misread; mismeti, to mis-place; misnomi, to misname.

Pra- indicates removed relationship or remoteness in past time: prapatro, great-grandfather; pranepo, great-grandson; prahomo, early man; pratempa, primeval, of early (or geologic) time.

Re- means back or again (see p. 44). Independent words are ree, again; reen, back, toward the rear; tien kaj reen, to and fro.

An Answering Letter

Merkredon (Wednesday), tagmeze
Tel. 345-21

Kara Karolo,

Kun granda ĝojo mi legis vian leteron dirantan, ke vi estas ĉi tie en Bostono. Kia plezuro estos vidi vin! Tre interesas min via intenco fari "ion novan" ĉe via kompanio. Certe mi deziras aŭdi priskribon pri via intenco kaj viaj es-peroj. Laŭ mia povo, mi volonte (willingly) donos opinion kaj konsilon pri via ideo.

Mi petas--kvankam mi dankas pro via invito al la hotelo--ke anstataŭe vi venu al mia hejmo por vespera manĝo. Tiu deziro ne estas sole mia. Ĝi estas ankaŭ la deziro de mia edzino kaj de ŝia patro (longtempa amiko de via patro), kiu nun estas ĉe ni por kelktaga vizito; kaj fine de miaj tri filoj, kiuj nepre devus vidi tiun amikon el la pasintaj jaroj, pri kiu mi jam parolis al ili, kredu ĝin aŭ ne! Kun plezuro ni rigardos la bildojn de via familio, kiujn vi ja devos havi en la poŝo por montri al ni. Tial mia familio kaj via iom kvazaŭ sentos sin amikoj.

Mi sendas ĉi tiun leteron al via hotelo per mia 17-jara filo, por ke vi nepre ĝin ricevu, kiam vi revenos tien. Mi telefonis al la hotelo kelkajn fojojn, sed ĉiam oni diris, ke vi ankoraŭ ne revenis, kaj nenie en la hotelo estas jam trovita.

Ĉu vi povos veni al ni morgaŭ? Elektu alian vesperon se vi trovos, ke alia estos pli konvena por vi; sed nepre ne forgesu telefoni al mi pri tio. Vidu supre la numeron de mia telefono. Se vi ne estos telefoninta intertempe, mi venos por vi kun unu aŭ du el la filoj en mia automobilo, malfrue en la posttagmezo, je la kvina aŭ la kvina kaj duono. En la okazo, ke vi iom pli frue venos malsupren, mi petas, ke vi sidu proksime de la flanka pordo de la hotelo, se vi povos, kaj mi vin serĉos tie antaŭ ol telefoni al via ĉambro.

Ĝis baldaŭa revido,
Ernesto

Lesson 24

The Suffixes. Esperanto has 30 general suffixes.
Unlike those in any of the national languages, they are dis-
tinct in form and meaning, with no overlapping. The 26
which seem most widely used are illustrated in this and the
following lesson. They are attached here only to words
familiar from previous lessons. The development of a wider
vocabulary by use of suffixes (and also prefixes) has been
one of the methods used since the first official Esperanto vo-
cabulary was accepted. (See ftn. p. xv.) It facilitates the
reader's and listener's recognition of meanings of new words
encountered. This method of producing words is one of Es-
peranto's regular evolutionary processes. Its only danger is
the temptation toward superfluous use of the suffixes; for ex-
ample, forming by the use of a suffix a new word when one
already exists--even a word of international character which
of course is preferable to any built with only formative ele-
ments. Certain suffixes, because of their meaning, can
themselves take grammatical endings and become independ-
ent words.

-Aĉ- forms depreciatives (disparaging words):
domaĉo, hovel, shack; hundaĉo, cur; ploraĉi, to whine,
whimper; skribaĉi, to scrawl, scribble; vojaĉo, wretched
road; aĉa, nasty, vile.

-Ad- adds duration: aŭskultadi, to keep listening;
batadi, to strike repeatedly, beat (bato is a single blow);
ludadi, to play (ludo is a single game); movadi, to move con-
tinuously; paroladi, to talk at length, lecture; pensadi, to

85

think (penso is a thought); pluvado, long or steady rain.

-Aĵ- denotes example or result of, material for: aĉetaĵo, thing bought, purchase; forĵetaĵo, discarded things, trash; kudraĵo, piece of sewing; mangaĵo, food; restaĵo, remainder.

-An- denotes member, inhabitant, adherent: domano, member of a household; kamparano, country fellow, peasant; samideano, adherent of the same idea(s), fellow-thinker; samlandano, compatriot; urbano, city man, urban dweller.

-Ar- denotes a group of similar beings or things: arbaro, forest; aŭdantaro, audience; homaro, mankind; kamparo, a group of fields, rural region, country; meblaro, furniture; ŝtuparo, flight of steps, stairway; vortaro, dictionary; aro, bunch, clump, cluster, clutch, flock, group, herd, pack, school (of whales), shoal, etc.

-Ebl- denotes passive qualities: aŭdebla, audible; kredebla, credible, probable; komprenebla, understandably, of course; legebla, legible; uzebla, usable; ebla, possible; eble, perhaps, possibly. Eble helps to express highest possible degree, as in kiel eble plej bona, best possible, as good as possible.

-Ec- denotes abstract qualities: alteco, altitude, height; amikeco, amity, friendship; facileco, facility, ease; feliĉeco, happiness, felicity; laceco, weariness; proksimeco, proximity, closeness, nearness; ruĝeco, redness; eco, a quality.

-Eg- forms augmentatives: bonega, excellent; bruego, uproar; domego, mansion; ĝojegi, to exult; kolerega, furious; kriegi, to shout; lacega, exhausted; petegi, to implore; timegi, to dread; treege, exceedingly; grandega, tremendous.

-Ej- denotes place for: dormejo, dormitory; elirejo, exit; hundejo, kennel; lernejo, school; loĝejo, lodging,

86

dwelling; ludejo, playground; renkontejo, rendezvous, meeting place.

-Em- indicates automatic or involuntary tendency toward: dormema, sleepy; forgesema, forgetful; kolerema, choleric, quick-tempered; plendema, querulous; pluvema, rainy; tenema, tenacious; timema, timid, fearful; ventema, windy.

-Er- means item or unit of: lignero, chip; monero, coin; neĝero, snowflake; sukerero, grain of sugar; ero, particle, unit.

-Estr- denotes head or leader of: domestro, head of household; domestrino, housewife; lernejestro, headmaster, principal; estro, head, leader; estri, to head, lead, manage.

-Et- forms diminutives: ameti, to like; arbeto, bush, shrub; beleta, pretty; dometo, cottage; dormeti, to doze; infaneto, baby; kolereta, cross; kuketo, cooky; rideti, to smile; verdeta, greenish; eta, little, tiny, wee (often in affectionate sense).

(More suffixes will be shown in the next lesson.)

Lesson 25

The Suffixes (Continued from Lesson 24).

-Id- means offspring of: birdido, young bird, nestling; hundido, puppy; katido, kitten; reĝido, king's son, scion of royalty; idino, female descendant; idaro, brood, progeny.

-Ig- forms transitive verbs: beligi, to beautify, embellish; devigi, to compel; disigi, to disperse, scatter; eksigi, to discharge, dismiss (see eks-, p. 82); faligi, to fell, cause to fall; plilongigi, to lengthen; replenigi, to replenish, refill; sciigi, to inform, let know; starigi, to make stand, set up, establish; timigi, to frighten; veturigi, to drive (vehicle); igi, to cause or compel (as in li igis min ridi, he made me laugh); disigi, to disconnect, disunite, scatter.

-Iĝ- forms verbs which are intransitive (do not take direct objects). They express what their subjects undergo by their own power or by force of circumstances; they are entirely different from verbs in the passive voice and from those having reflexive pronouns as objects: fermiĝi, to become closed, go shut; malfermiĝi, to become open, to come (or go) open, to open; konatiĝi, to become acquaintances (become acquainted); perdiĝi, to become lost; sciiĝi, to become aware, learn; sidiĝi, to sit down; stariĝi, to stand up; troviĝi, to find oneself (or become) situated (in specified place or situation); vidiĝi, to be in (or come into) sight, be seen, be visible, in view; iĝi, to become (when followed by predicate noun or adjective) as in mi iĝis la sola helpanto; disiĝi, to become separate or separated.

88

-Il- denotes instrument or tool for: batilo, bat; flugilo, wing; kaptilo, snare, trap; kudrilo, needle; ludilo, plaything; tenilo, handle; trancilo, knife; veturilo, vehicle.

-In- denotes female beings. (See p. 28) Independent words from this suffix are ina, ino, female.

-Ind- means deserving of: aminda, lovable, amiable; admirinda, admirable; laŭdinda, praiseworthy, laudable; leginda, worth reading; neatentinda, negligible; rindinda, ridiculous; riprocinda, reprehensible; inda, worth, worthy; malinda, unworthy.

-Ist- denotes professional or habitual performer: instruisto, teacher; kondukisto, conductor; ĵurnalisto, journalist; kudristino, seamstress; okulisto, oculist; portisto, porter; ŝufaristo, shoemaker; vendisto, salesman, vendor.

-Obl- forms multiples: duoblo, a double; duobla, double, duplex; triobla, triple; kvinobla, fivefold; milobla, thousandfold; multoble, multiple, manifold.

-On- forms fractions. (See p. 52) Duonigi, to halve; kvinonigi, to separate or divide into fifths; ono, a fraction of 1.

-Op- forms distributives: unuope, one at a time, one by one, singly; duope, by twos, in pairs; kvinope, in fives; centope, by hundreds; milope, by thousands.

-Uj- denotes container of like objects or a single substance, also a country inhabited by a single nation: akvujo, water tank, reservoir; monujo, purse; kudrilujo, needlecase; sukerujo, sugar bowl; ujo, container, vessel; Francujo, France.

-Ul- forms nouns which emphasize personal characteristics: belulino, beauty, belle; bonegulo, jolly good fellow; dikulino, stout woman; junulo, youth; junulino, young lady, junior miss; malsanulo, invalid; malŝparulo, spend-

89

thrift; ŝparemulo, penny-pincher; timulo, coward; zorge-
mulo, worrier, fuss-budget.

-Um- forms words denoting acts, states, qualities,
and things not always easily or briefly described but quickly
understood in connection with the rest of the sentence:
akvumi, to water (lawn or flowers); amindumi, to court, woo;
buŝumo, muzzle; butonumi, to button; kolumo, collar; mal-
varmumi, to catch cold; manumo, cuff, wristband; plenumi,
to fulfill; proksimuma, approximate; ventumi, to fan; ven-
tumilo, a fan.

Appendix

Esperanto Questions, Based on the Lessons,

for Practice in Conversation

English-Esperanto Word List

Esperanto-English Word List

Esperanto Questions for Practice in Conversation

Each of the following pages of questions is for prac-
tice in conversation as soon as the lesson on which it is
based has been studied. Each question page uses the vocabu-
lary of a lesson and deals with the subject matter of its
reading exercises.

Persons studying alone can make use of the questions
by reading each one aloud, then answering it, finally not
needing to look at the text. Students in classes and study
clubs can serve in turn as leaders to read questions, address-
ing one after another to members of the group. This makes
it possible for all the learners to speak Esperanto as well
as for all of them to hear it spoken. Because Esperanto has
no difficult sounds requiring constant observation by a teach-
er's pronunciation, the teacher need merely designate lead-
ers and be at hand to give explanations or offer suggestions.

Answers for the questions on the first few lessons
may simply turn the questions into declarative form. This
will prevent grammatical slips and the embarrassing need of
words not yet learned. All sentences should be spoken slow-
ly and distinctly, with attention to grammatical accuracy.
Answers to all questions in Lesson 2 must be affirmative, be-
cause negatives are not shown until Lesson 3.

Questions more appropriate for girls (or for boys)
are so indicated by the introductory name, as Jozefino (or
Jozefo). In formal address to teachers and others, Sinjoro,
Sinjorino, and Fraŭlino are used.

Questions Based on Lesson 2

1. Ĉu la seĝo estas granda?
2. Ĉu la seĝo estas forta?
3. Ĉu la seĝo estas forta kaj granda?
4. Ĉu la pordo estas granda kaj forta?
5. Ĉu infano kuras al la pordo?
6. Ĉu tablo estas apud la pordo?
7. Ĉu libro estas sur la tablo?
8. Ĉu bona libro estas sur la tablo?
9. Ĉu pomo estas sur la tablo?
10. Ĉu infano kuras al la tablo?
11. Ĉu la infano staras sur seĝo?
12. Ĉu viro demandas, ĉu tablo estas forta?
13. Ĉu la pomoj sur la tablo estas bonaj?
14. Ĉu infano kuras, ĉar pomoj estas bonaj?
15. Ĉu la infano estas forta?
16. Ĉu la pomoj sur la tablo estas grandaj?
17. Ĉu la infano estas bona kaj forta?
18. Ĉu la viro parolas al la infano?
19. Ĉu Jozefo estas forta infano?
20. Ĉu la infano parolas al amiko?
21. Ĉu Jozefo kaj la viro estas amikoj?
22. Ĉu amikoj staras apud la pordo?
23. Ĉu la amikoj parolas al la infanoj?
24. Ĉu la infanoj staras apud la seĝoj?
25. Ĉu viroj kaj infanoj estas bonaj amikoj?

Questions Based on Lesson 3

1. Ĉu la dikaj leteroj sur la tablo estas viaj?
2. Ĉu viaj leteroj estas nun en via domo?
3. Ĉu la leteroj sur la tablo estas miaj aŭ viaj?
4. Ĉu la sinjoro apud la pordo estas via patro?
5. Ĉu vi parolis al mi aŭ al nia amiko Jozefo?
6. Ĉu la vortoj en viaj leteroj estas longaj?
7. Ĉu la krajono sur la planko estas via?
8. Ĉu krajono sur la tablo estas la krajono de Jozefo?
9. Ĉu hieraŭ vi longe parolis al amikoj?
10. Ĉu Jozefo estas bona amiko via?
11. Ĉu la afabla sinjoro estas via patro?
12. Ĉu ni estas en granda aŭ malgranda ĉambro?
13. Ĉu la knabo sur seĝo apud vi estas Jozefo?
14. Ĉu la pordoj al nia ĉambro estas fortaj?
15. Ĉu ilia amiko parolis al Jozefo kaj al ŝi?
16. Ni estas apud bela domo. Ĉu ĝi estas via?
17. Ĉu amikoj venis hieraŭ al via domo?
18. Ĉu via hundo estas granda aŭ malgranda?
19. Ĉu la hundo estas en via domo?
20. Ĉu via hundo estas nun sub via seĝo?
21. Ĉu la bona longa krajono estas lia?
22. Ĉu via krajono estas mallonga aŭ longa?
23. Ĉu ŝia krajono estas nova aŭ malnova?
24. Ĉu la krajonoj sur la tablo estas viaj?
25. Ĉu ili venis tra la granda pordo?

Questions Based on Lesson 4

1. Ĉu vi havas belan grandan pomon?
2. Ĉu vi deziras la pomon sur la tablo?
3. Ĉu vi donos al mi bonan libron?
4. Ĉu amiko donis novan libron al vi?
5. Ĉu vi fermis la fenestron?
6. Ĉu vi afable fermos la pordon?
7. Ĉu vi bezonas helpon, aŭ baldaŭ bezonos ĝin?
8. Ĉu vi afable helpos min?
9. Ĉu vi vidas libron sur la tablo antaŭ vi?
10. Ĉu vi afable montros libron sur la tablo?
11. Ĉu vi havas hundon? Ĉu ĝi estas granda?
12. Vi havas bonajn najbarojn, ĉu ne?
13. Ĉu vi havas novajn najbarojn?
14. Ĉu la hundo sub via seĝo estas via?
15. Vi vidas la hundon apud vi, ĉu ne?
16. Ĉu la libroj sur la tablo kaŝas mian krajonon?
17. Ĉu vi skribos leteron kaj bezonas paperon?
18. Ĉu estas papero sub aŭ post la libro?
19. Ĉu vi havas paperon sed bezonas krajonon?
20. Ĉu vi (li, ŝi, ili) havas krajonon en la mano?
21. Ĉu vi ĵetos pomon el la fenestro al mi?
22. Ĉu vi deziras pomon? Ĉu vi diris ke jes aŭ ke ne?
23. Ĉu vi havas fraton? Ĉu li estas en la ĉambro?
24. Ĉu vi helpas vian fraton? Ĉu li helpas vin?
25. Ĉu la sinjoro apud la pordo estas via patro?

Questions Based on Lesson 5

1. Mi perdis libron mian. Ĉu vi helpos serĉi ĝin?
2. Ĉu vi opinias, ke mi trovos mian libron?
3. Ĉu vi perdis la libron hieraŭ aŭ hodiaŭ?
4. Ĉu amiko via perdis sian libron?
5. Ĉu via fratino perdis sian libron?
6. Ĉu la frato kaj fratino perdis siajn librojn?
7. Ĉu la frato trovis sian libron sed ne ŝian?
8. Ĉu vi opinias, ke ili trovos la librojn?
9. Ĉu vi deziras aĉeti novajn librojn?
10. Ĉu morgaŭ vi aĉetos alian novan libron?
11. Ĉu juna infano iras frue al sia lito?
12. Ĉu vi frue iris al via lito hieraŭ?
13. Ĉu via patrino frue vokis vin hodiaŭ?
14. Ĉu vi rapide respondas al voko de via patrino?
15. Ĉu vi estas feliĉa, ĉar vi trovis vian libron?
16. Mi petas helpon. Ĉu vi helpos trovi libron?
17. Ĉu vi perdis libron kaj trovis ĝin sur la planko?
18. Ĉu la knabo en la libro trovis libron post pordo?
19. Ĉu viaj libroj estas tro maljunaj por vi?
20. Ĉu vi permesos al mi vidi vian libron?
21. Ĉu vi afable helpos trovi mian krajonon?
22. Ĉu bona knabino helpas sian patron kaj sian patrinon?
23. La patro kaj la patrino helpas la filinon, ĉu ne?
24. Ĉu hodiaŭ vi iros malfrue al via hejmo?
25. Ĉu hieraŭ vi iris al via hejmo tre frue?

Questions Based on Lesson 6

1. Ĉu vi opinias ke vi povas kuri pli rapide ol mi?

2. Ĉu baldaŭ ni kuros por vidi ĉu vi kuras pli rapide?

3. Vi estas pli juna kaj malpli forta ol mia frato, ĉu ne?

4. Ĉu filino helpas sian patrinon plej bone?

5. Ĉu filoj helpas la patrinojn kaj la patrojn?

6. Vidu la libron en mia mano! Ĉu ĝi estas via?

7. Diru al mi! Ĉu morgaŭ vi helpos min?

8. Ĉu vi nun bezonas helpon? Kion mi faru por vi?

9. Ĉu vi permesos ke mi rigardu vian libron?

10. Vi havas belajn florojn en via ĝardeno, ĉu ne?

11. Ĉu vi longe laboras en via ĝardeno?

12. Ĉu vi laboras en via ĝardeno dum la frua mateno?

13. Ĉu vi deziras labori en la ĝardeno anstataŭ en la domo?

14. Ĉu knabinoj deziras ruĝajn ĉapelojn kai ruĝajn ŝuojn?

15. Ĉu la juna knabino en la libro staris sur seĝo?

16. Ĉu la knabino tre longe staris sur la seĝo?

17. Ĉu ĝentile peti pomojn estas pli bone ol stari sur la seĝo?

18. Ĉu vi diras dankon, ĉar amiko donas al vi pomon?

19. Ĉu vi kuris tre rapide preter mia hejmo hieraŭ?

20. Ĉu la fruaj matenoj nun estas malvarmaj?

21. Ĉu vi opinias, ke malfruaj vesperoj estas pli malvarmaj?

22. Jozefo, ĉu vi afable malfermos la fenestron?

23. Jozefino, ĉu vi deziras ke mi malfermu la fenestron?

24. Sinjorino B-, ĉu mi havas vian permeson fermi la fenestron?

25. Ĉu vi malpermesas, ke junaj fratoj aŭ fratinoj tuŝu viajn leterojn?

Questions Based on Lesson 7

1. Ĉu vi havas la leterojn, kiujn vi ricevis hieraŭ?
2. Ĉu vi vidis tiujn librojn, kiuj estas tie?
3. Kies letero (libro, krajono, pomo) estas tio?
4. Ĉu vi ricevas multajn dikajn leterojn hodiaŭ?
5. Ĉu vi respondas al la leteroj, kiujn vi ricevas?
6. (Jozefo) ĉu vi tiel longe laboras en ĝardeno kiel antaŭe?
7. Diru al mi, ĉu vi deziras tie labori hodiaŭ?
8. Ĉu vi ofte laboras pli longe ol estas bone por vi?
9. Ĉu hieraŭ vi serĉis libron el la butiko apude?
10. Anstataŭ serĉi libron, ĉu vi serĉis ĉapelon?
11. Kiam vi trovos novan ĉapelon, ĉu vi montros ĝin al ni?
12. Kies libroj estas sur tiu seĝo? Ĉu ili estas viaj?
13. Mi vidas ruĝan libron tie; ĉu tiu libro estas via?
14. Kies krajono estas ĉi tiu? Mi trovis ĝin sur la planko.
15. Kiu perdis la libron, kiun mi vidas apud la fenestro?
16. Ĉu vi povas diri al mi kies libro ĉi tiu estas?
17. Kial ne nur infanoj sed viroj kaj virinoj perdas librojn?
18. Ĉu vi havas opinion? Diru ĝin al ni, mi petas.
19. Mia krajono falis el mia mano. Kie ĝi nun estas?
20. Kion vi aĉetis hieraŭ? Kiam vi montros ĝin al ni?
21. Ĉu vi aĉetis krajonon hieraŭ?
22. Kies hejmo estas tiu granda domo?
23. Kian ĉapelon vi aĉetis hieraŭ? Kiam vi montros ĝin al ni?
24. Ni baldaŭ vidos ĝin, ĉu ne? Kie ĝi nun estas?
25. Vi montros al ni tiun ĉapelon, ĉu ne?

Questions Based on Lesson 8

1. Ĉu vi opinias, ke hodiaŭ forte pluvos?
2. Ĉu tiu ĉi krajono estas via?
3. Ĉu vi atendas ke neĝos anstataŭ pluvi hodiaŭ?
4. Ĉu vi ĉiam ĝojas kiam neĝas? Sed ne kiam pluvas?
5. Kiam neĝas, ĉu la neĝo longe restas?
6. Ĉu infanoj ĝoje ludas en la neĝo?
7. Ĉu vi ĉiam respondas al leteroj kiujn vi ricevas?
8. Ĉu vi helpas ĉiun amikon, kiu petas helpon?
9. Tiu viro, kiu helpas ĉiun, estas ĉies amiko, ĉu ne?
10. Ĉu infano, kiu havas ĉion, kion li deziras, estas feliĉa?
11. Ĉu bona infano ĉiam respondas kiam la patrino vokas?
12. Ĉu infanoj diras ĉiajn demandojn al patro?
13. Ĉu patroj kaj patrinoj respondas, kiam ili povas?
14. Ĉu vi tiom laboras en via domo, kiom en la ĝardeno?
15. Ĉu estas belaj floraj ĉirkaŭ via hejmo?
16. Ĉu vi deziras ke mi parolu pli malrapide?
17. Ĉu vi laboris ĝis vi estis tre laca?
18. Ĉu vi esperas labori malpli longe morgaŭ?
19. Ĉu baldaŭ vi veturos al la kamparo?
20. Ĉu knabinoj trans la strato havas novajn ĉapelojn?
21. Ĉu vi neniam antaŭe vidis tiujn ĉapelojn?
22. Ĉu estas akvo ĉie ĉirkaŭ vi kiam forte pluvas?
23. Mi havas ion en la mano. Kion vi opinias, ke ĝi estas?
24. Ĉu Andreo loĝas trans la strato?
25. Ĉu li havas du fratojn?

Questions Based on Lesson 9

1. Ĉu vi ĵetis leterojn sur la tablon, kiam ili venis?
2. Ĉu vi ricevis ĉiujn el viaj leteroj?
3. Ĉu vi vidis, ke hundo kuris en la ĝardenon?
4. Ĉu multaj birdoj flugis en vian ĝardenon hieraŭ?
5. Ĉu birdoj kiuj flugas en vian ĝardenon restis tie?
6. Ĉu vi kaj via frato baldaŭ iros Bostonon?
7. Ĉu vi aŭ via frato iam antaŭe vizitis Bostonon?
8. Ĉu en antaŭa tempo urboj havis altajn murojn?
9. Ĉu nun estas altaj muroj ĉirkaŭ multaj urboj?
10. Ĉu vi iros kamparon, ĉar la urbo estas varma?
11. Ĉu vi opinias ke la vetero estas malagrabla?
12. Ĉu infanoj ĉiam estas feliĉaj en la kamparo?
13. Ĉu infanoj estas feliĉaj, kie ajn ili estas?
14. Kion la knaboj en la libro havis en glasoj?
15. Ili metis la glasojn sur seĝon poste, ĉu ne?
16. Ĉu ili ĵetis sur la plankon ĉion alian, kion ili havis?
17. Kion ili tiam faris? Ĉu ili restis en la ĉambro?
18. Kiam la frato vokis ilin, kion la knaboj faris?
19. Ĉu la junaj fratoj rapide venis, kiam li vokis lin?
20. Ĉu la juna frato Ernesto skribas per la maldekstra mano?
21. Per kiu mano skribas la amiko Andreo, kiu vizitis?
22. Ĉu la knaboj estis afablaj pri ĉio ĉi tio?
23. Ĉu la frato de Ernesto ordonis, ke Andreo iru hejmon?
24. Ĉu tiu frato antaŭe donis pomon al Andreo?
25. Ĉu Ernesto aŭdis birdon en la ĝardeno?

Questions Based on Lesson 10

1. Kion Paŭlino faris kiam ŝi vidis Jozefinon iom antaŭe?
2. Kiam Jozefino aŭdis Paŭlinon, ĉu ŝi staris kaj atendis ŝin?
3. Ĉu Paŭlino havis novan ĉapelon sur la kapo (head)?
4. Ĉu ŝi petis ke Jozefino rigardu la ĉapelon?
5. Ĉu la patrino de Paŭlino jam vidis la ĉapelon?
6. La patrino diris, ke ŝi ĝin admiras, ĉu ne?
7. Ĉu Paŭlino tial estis malkontenta pri la ĉapelo?
8. Ĉu Paŭlino petis la veran opinion de Jozefino?
9. Ĉu Jozefino tiam rigardis la ĉapelon kaj diris opinion?
10. Ĉu anstataŭ Jozefino demandis ion pri libro?
11. Kio estis la nomo de la libro, kaj kion ŝi demandis?
12. Kial Paŭlino ne jam finis tiun interesan libron?
13. Ĉu vi ofte havas tro multe por fari, kiel dum la nuna semajno?
14. Ĉu Jozefino jam promesis doni la libron al iu alia antaŭ dimanĉo?
15. Ĉu Paŭlino tuj demandis la nomon de tiu kiu ricevos ĝin?
16. Por ne devi respondi, ĉu Jozefino lasis siajn librojn fali?
17. Ĉu la afabla junulo Roberto, amiko de tiuj knabinoj, vidis ilin?
18. Ĉu li kuris el la apuda butiko kaj kolektis tiujn librojn?
19. Ĉu tiam li invitis, ke ili venu kun li en tiun butikon?
20. Ĉu la butiko estas restoracio, kaj ĉu la tri iris en ĝin?
21. Ĉu Roberto diris al Jozefino ke li devos labori dimanĉon?
22. Ĉu tial li ne povas legi libron ŝian kiel li deziras?
23. Ĉu Paŭlino nomis la libron kaj diris, ke ŝi nun povas havi ĝin?

Questions Based on Lesson 10 (cont.)

24. Ĉu Roberto tuj demandis ĉu li povos havi ĝin poste?
25. Ĉu li demandis, kiu knabino fine donos al li la libron?

Question Based on Lesson 11

1. En nia rakonto hodiaŭ ĉu du knaboj vizitas onklinon?
2. Ĉu tiu sinjorino petas de ili iom da helpo?
3. Ĉu la onklino deziras ke la nevoj movu seĝojn?
4. Kiom da seĝoj ili movis, kaj kial?
5. Kial multaj sinjorinoj venis al la domo?
6. Ĉu la sinjorinoj afable parolis? Pri kio?
7. Ĉu la sinjorinoj sidis ĉirkaŭ granda tablo?
8. Ĉu la onklino donis tason da teo al ĉiu sinjorino?
9. Ĉu ĉiuj el la sinjorinoj deziris sukeron en la teo?
10. Ĉu la onklino demandis ĉu iu deziras kafon?
11. Ĉu multaj sinjorinoj deziris kafon anstataŭ teo?
12. Ĉu estis teleroj da kuketoj sur la tablo?
13. Ĉu la sinjorinoj multe ĝuis la kuketojn?
14. Kie estis la du nevoj dum ĉio ĉi tio?
15. Ĉu junaj knaboj deziras manĝi tre ofte?
16. Ĉu la onklino jam dankis la nevojn pro ilia helpo?
17. Ĉu la onklino donis sakon da kuketoj al ili?
18. Ĉu ŝi ne volis ke ili manĝu kuketojn ekster la domo?
19. Ĉu la onklino timis, ke ili lasos kuketojn fali sur la plankon?
20. Ĉu la onklino petis, ke la knaboj lavu la manojn?
21. Ĉu junaj knaboj deziras ofte lavi la vizaĝon kaj manojn?
22. Ĉu la knaboj revenis en la domon pli poste?
23. Ĉu la onklino donis al ili la kuketojn, kiuj restis?
24. Ĉu ŝi tiam faris demandon pri paĝoj en libro?
25. Ĉu vi deziras teon aŭ kafon?

Questions Based on Lesson 12

1. Ĉu infano iam laŭte ploris antaŭ hejmo?

2. Ĉu vi povas diri, kion vi faros se infano ploros tie?

3. Kio estas tio, kion oni diras, pri ĉies kaj nenies afero?

4. Kiel longa ĉi tiu ĉambro estas, laŭ via opinio?

5. Kiel larĝa la ĉambro estas, laŭ via opinio?

6. Ĉu la muro ĉirkaŭ via ĝardeno estas tri futojn alta?

7. Je alia vizito ĉi tie, ĉu vi restas du aŭ tri tagojn?

8. Ĉu la novaj stratoj kostos tro multe al la urbo?

9. Ĉu nia hodiaŭa leciono estas la dekdua en la libro?

10. Ĉu ni legis kien juna knabo metis grandan korbon?

11. Ĉu iu ajn tiam povis iri tra tiu pordo?

12. Ĉu la knabo permesis, ke lia frato tuŝu la korbon?

13. Ĉu la pli juna frato aŭskultis al lia frato?

14. Kion la pli juna frato anstataŭe faris?

15. Ĉu la alia knabo, Jozefo laŭ nomo, faris nenion?

16. Ĉu Jozefo povis frapi la fraton?

17. Ĉu Jozefo atendis fali kontraŭ la seĝon?

18. Ĉu tiu falo estis bona por la juna frato?

19. Ĉu Jozefo ĝuis sian falon kontraŭ la korbon?

20. Ĉu Jozefo ploris pri timo pli multe ol pri kontuzoj?

21. Ĉu la patrino aŭdis la bruon kaj rapidis tien?

22. Ĉu unue ŝi metis ion agrablan sur la kontuzoj?

23. Ĉu ŝi tiam lavis al la knaboj la manojn?

24. Ĉu ŝi eĉ donis al ili glasojn da lakto?

25. Ĉu post ĉio ĉi tio, ĉio estis agrabla?

Questions Based on Lesson 13

1. Ĉu nia leciono hodiaŭ temis pri la knabo Paŭlo?

2. Kie estis Paŭlo, kiam la patro venis hejmen unu tagon?

3. Ĉu la patro demandis ĉu Paŭlo jam sciis siajn lecionojn?

4. Kion Paŭlo diris pri siaj lecionoj?

5. Kial la patro ordonis, ke Paŭlo montru la lecionojn al li?

6. Ĉu Paŭlo tial iris kun la libro al la patro?

7. Kion Paŭlo portis iom kaŝe sub la brako?

8. Ĉu kelkaj knaboj atendis Paŭlon apude?

9. Kion ili faris dum ili ĉiuj marŝis laŭ la strato? Kion alian?

10. Kion ili trovis sur la strato, kaj prenis?

11. Ĉu ili ĝoje ludis kun la bastonoj? Kiel?

12. Kiel ili tre longe ludis tiel kun la bastonoj?

13. Ĉu ili rompis kelkajn bastonojn, kaj lasis ĉiujn sur la strato?

14. Ĉu oni povas supozi, ke ĉiu knabo iris hejmon?

15. Ĉu la patrino vokis sian filon, se ŝi vidis lin?

16. Ĉu ŝi certe ordonis ke li venu en la domon?

17. Ĉu vi supozas, ke ili tuj venis laŭ la ordono?

18. Ĉu la knaboj tiam lernis siajn lecionojn?

19. Ĉu ili skribis respondojn al demandoj en libroj?

20. Ĉu ni dubas ĉu ili manĝis pomojn dum ili tiel laboris?

21. Sed Paŭlo trovis leteron sur siaj libroj, ĉu ne?

22. La letero estis de la patrino de Paŭlo, ĉu ne?

23. Ĉu la patro kaj patrino jam flugas al malsana (sick) onklino?

24. Ĉu la letero diras kiu najbaro baldaŭ venos por Paŭlo?

25. Ĉu la letero petas, ke Paŭlo estu tre bona knabo?

Questions Based on Lesson 14

1. Ĉu marŝi per du piedoj estas pli bone por homoj ol por hundoj?

2. Jam multajn jarojn la homoj iras pli rapide ol hundo, ĉu ne?

3. Ĉu malbone faritaj seĝoj longe daŭros?

4. Ĉu plumo multe kostinta povas fine kosti malmulte?

5. Ĉu virinoj kutime bezonas novajn ĉapelojn por contente vivi?

6. Ĉu estas vere, ke virinoj parolas nun pri mono kaj ĉapeloj?

7. Ĉu tempo flugas? Ĉu vi scias kioma horo nun estas?

8. Ĉu vi ofte diras ke vi renkontos amikon je dirita horo?

9. Ĉu unu aŭ alia el la amikoj ofte telefonas bedaŭron?

10. Ĉu amiko iam ne venas, kaj ne telefonas?

11. Jozefo, ĉu vi iam faris keston por donaci al via patrino?

12. Ĉu estas pli facile fari keston ol tablon aŭ seĝon?

13. Ĉu estas pli facile fari ĉapelon el ŝtofo ol keston el ligno?

14. Ĉu iuj junulinoj vizitas butikojn du tagojn en ĉiu semajno?

15. Ili lernas multe pri nova ŝtofo, kaj pri kostoj, ĉu ne?

16. Ĉu ili ankaŭ ĝuas ion por manĝi en agrabla butiko?

17. Ĉu oni demandas kioma horo estas, kiam oni tre ĝuas ion?

18. Ĉu vi ricevis hodiaŭ leteron skribitan al vi de iu en Bostono?

19. Ĉu tiu letero estis skribita per krajono aŭ per plumo?

20. Ĉu vi nun havas tiun leteron en via mano aŭ en la poŝo?

21. Mi demandas, ĉar mi trovis tian leteron. Ĉu ĝi povas esti via?

22. Ĉu leteroj skribitaj kaj senditaj estas ofte perditaj?

23. Ĉu kelkaj perditaj leteroj estas trovitaj post multaj jaroj?

Questions Based on Lesson 14 (cont.)

24. Sed ni devas skribi sur ili tiel bone kiel ni povas, ĉu ne?

25. Ĉu bonaj restoracioj kaj purpuraj ĉapeloj estas interesaj temoj?

Questions Based on Lesson 15

1. Ĉu vi havas fratinon, kies aĝo estas ĉirkaŭ dek unu jaroj?

2. Ĉu kiu ajn alia persono en la ĉambro havas fratinon de tiu aĝo?

3. Ĉu knabinoj de tiu aĝo amas la sinjorinojn kiuj instruas ilin?

4. Dum kvin tagoj de la semajno ili estas kun tiuj sinjorinoj, ĉu ne?

5. Ĉu amuzas vin ŝanĝi la lokon de mebloj en ĉambroj?

6. Ĉu vi aŭskultas al petoj ke vi helpu ŝanĝi lokon de mebloj?

7. Ĉu vi metas tablon en la lokon de du seĝoj, aŭ post ilin?

8. Ĉu la libro parolas pri vizito de knabino al avo kaj avino?

9. Ĉu avo kaj avino kutime vivas bonan kaj feliĉan vivon?

10. Ĉu la avo volis diri kiom li donis al trovinto de perdita hundo?

11. Ĉu la avo rakontis ke multaj virinoj subite venis al lia hejmo?

12. Ĉu li kaŝis sin en sia ĉambro dum ili estis en la domo?

13. Ĉu li plendis (kun rido) ke la virinoj eĉ manĝis tutan kukon?

14. Ĉu la avino ĝoje ridis pri lia ideo kaj diris la veron?

15. Ĉu la avino diris, ke vere ŝi invitis la sinjorinojn?

16. Ĉu ŝi diris, ke ili ĉiuj parolis pri antaŭe elektita libro?

17. Kiam ili apenaŭ sufiĉe parolis, ĉu ŝi donis al ili kukon kaj teon?

18. Ĉu tiam la sinjorinoj dankis ŝin kaj iris el la domo?

19. Ĉu la avino metis tasojn da kafo antaŭ la avo kaj nevino?

20. Ĉu ŝi ankaŭ donis al ili grandajn pecojn da kuko, ankaŭ pomojn?

21. Ĉu la avo ridis kaj diris ke li sen kialo plendis?

22. Ĉu vi opinias, ke li estis tute malprava, plendante?

109

Questions Based on Lesson 15 (cont.)

23. Ĉu li plendis antaŭ ol li pensis en ĉi tiu afero?
24. Ĉu viroj kaj virinoj ofte parolas antaŭ ol pensi?
25. Ĉu infanoj ofte falas, kurinte tro rapide?

Questions Based on Lesson 16

1. Kiel vi sanas, mia amiko (amikino)?

2. Ĉu vi permesu al mi diri esperon, ke vi kaj via familio estas sanaj?

3. Ĉu iu en via familio havas malfortan koron?

4. Ĉu estas tre malagrable esti malsana multajn monatojn?

5. Ĉu vi diros mian plej amikan saluton al via tuta familio?

6. Ĉu vi konas kelkajn maljunajn sinjorinojn kaj sinjorojn?

7. Ĉu ili pensas kaj parolas interese pri pasintaj jaroj?

8. Ĉu la nuna tempo ne ĉiam interesas maljunajn virojn kaj virinojn?

9. Ĉu vi ofte vizitas maljunajn konatojn krom avo kaj avino?

10. Ĉu de viaj maljunaj amikoj vi lernas iom pri pasinta tempo?

11. Ĉu neniu deziras esti forgesita homo?

12. Ĉu vi ofte vidas belajn fraŭlinojn sur niaj stratoj?

13. Ĉu multajn fojojn vi ĝojas, ĉar vi jam konas ilin?

14. Ĉu kelkaj amikoj viaj loĝas en dekĉambraj domoj?

15. Ĉu vi timas iri trans stratojn sur kiuj multaj personoj pasas?

16. Ĉu vi rekonas multajn personojn, dum vi pasas ilin?

17. Ĉu en nia rakonto juna frato kun hundo ĝenas sian fratinon?

18. Ĉu la knabo deziris montri, kiom lia hundo jam lernis?

19. Ĉu li jam instruis al la hundo kiel marŝi per du piedoj?

20. Ĉu li tenis pecojn da sukero alte super la kapo de la hundo?

21. Ĉu la hundo povas preni la sukeron se li staris sur la postaj piedoj?

22. Ĉu la knabo kaj hundo faris multan bruon kaj ĝenis la fratinon?

111

23. Ĉu ili venis en la ĉambron, en kiu junulo parolis al tiu fratino?

24. Ĉu la fratino defendis sin kaj petis, ke la frato kaj hundo ne restu?

25. Ĉu tamen ŝi parolis afable al la frato kaj donis al li kuketojn?

Questions Based on Lesson 17

1. Bonan tagon, mia amiko! Ni havas belan veteron, ĉu ne?

2. Ĉu vi opinias, ke estas tro multe da malkontento ĉie?

3. Ĉu iu devus fari ion pri tio?

4. Ĉu ni ne ŝufiĉe pensas pri gravaj aferoj?

5. Ĉu vi trovas la mondon tre bona, almenaŭ ĝis nun?

6. Ĉu vin interesas fari la mondon ankoraŭ pli bona?

7. Ni ĉiuj esperas fari aŭ helpi tion, ĉu ne?

8. Ĉu vi havas ideojn pri tio, kion vi mem faros por la mondo?

9. Ĉu ĉiu avino laŭdas junan nepon, kiu obeas kaj plaĉas al ŝi?

10. Kian aĝon havas la knabo, kiu kun sia fratino, vizitis la avinon?

11. Kiam la frato prenis skatolon da butonoj, kio okazis?

12. Ĉu la skatolo, kiu apartenis al la avino, estis el bela ligno?

13. Ĉu oni timis, ke Karolo metos butonojn en la buŝon?

14. Ĉu oni pardonis aŭ riproĉis Karolon? Kion la fratino faris?

15. Ĉu la avino bone sciis, kiel montri al infano kion fari?

16. Ĉu fine la nepino kaj nepo ĝuis kuketojn kaj glasojn da lakto?

17. Ĉu ili trovis la kuketojn tre bonaj? Ĉu ili manĝis multajn?

18. Ĉu avino ofte scias, kiel helpi nepinojn esti pli bonaj?

19. Kiam oni trovas pordon fermita, ĉu oni devos lasi ĝin tia?

20. Ĉu oni povas fari malfortan tablon forta, se oni scias kiel?

21. Ĉu la precipa deziro de bona kuranto estas kuri pli rapide?

113

Questions Based on Lesson 17 (cont.)

22. Kvankam oni bone kuras, ĉu oni ĉiam povas kuri pli bone?
23. Ĉu vi opinias fortan kafon pli bona ol pli milda?
24. Ĉu la veturo hodiaŭ estas milda aŭ malagrabla?
25. Ĉu vi lasis la pordon malfermita kiam vi venis?

Questions Based on Lesson 18

1. Ĉu vi ĝuas veturon tra la kampo, kiam la ĉielo estas blua?

2. Ĉu tio estas pli agrabla ol pluvo, vento kaj fulmotondro?

3. Ĉu oni veturas pli facile en kamparo ol en urbo?

4. Ĉu la libro parolas pri viro, kies aŭtomobilo preskaŭ frapis knabon?

5. Ĉu ĉi tio okazis en la mateno aŭ pli poste, preskaŭ en vespero?

6. Kial la viro estis sur la strato en sia aŭtomobilo?

7. Ĉu multaj infanoj ludis sur la strato kaj ne atentis aŭtomobilojn?

8. Ĉu knabo subite kuris en la straton antaŭ la viro?

9. Ĉu la viro estis sufiĉe forta por tuj tiri la aŭtomobilon flanken?

10. Ĉu li estis certa, ke la aŭtomobilo ne tuŝis la knabon?

11. Ĉu tamen tiu viro preskaŭ tremis pro la nura ideo?

12. Kiam li eliris el la aŭtomobilo por iri al la knabo, kio okazis?

13. Kien la knabo jam kuris? Ĉu aliaj infanoj restis sur la strato?

14. Ĉu fine la viro serĉis kaj trovis policanon?

15. Ĉu li diris al la policano pri tio, kio ĵus okazis?

16. Li diris ankaŭ sian nomon kaj sian adreson al la policano, ĉu ne?

17. Laŭ via opinio kial la knabo tuj kuris el vido?

18. Ĉu la knabo perdis ion kaj kuris por kapti ĝin?

19. Ĉu vi supozas ke la knabo eĉ ne vidis la aŭtomobilon?

20. Ĉu ne eĉ unu el la grupo da infanoj restis en vido?

21. Ĉu la knabo kaj la aliaj infanoj timis, ke oni batos ilin?

22. Ĉu ni scias ĉu la viro fine aĉetis ĵurnalon, tiun vesperon?

115

Questions Based on Lesson 18 (cont.)

23. Ĉu tiu viro trankvile dormis dum tiu nokto, aŭ
    maldormis?

24. Ĉu li pensis pri tio, kio povas okazi al malatentaj
    infanoj sur stratoj?

25. Ĉu li timis por la infanoj, kiuj ludas kie oni veturas
    per aŭtomobilo?

Questions Based on Lesson 19

1. Kiam estas nokto sur unu flanko de la mondo, kio estas sur la alia?

2. Ĉu vi estos okupata en kompanio, kies prezidanto estas via patro?

3. Ĉu estas pli bone labori por granda aŭ malgranda kompanio?

4. Ĉu mallonga fulmotondro okazis je tagmezo hodiaŭ?

5. Ĉu ĉirkaŭ la tria vi vidis du junajn knabojn apud via domo?

6. Ĉu ni sciis ke du junoj nepoj vizitas sian avinon apude?

7. Ĉu ambaŭ junaj vizitantoj venis kvazaŭ serĉantaj ion por fari?

8. Ĉu ĉio apud via domo estis por ili nova parto de la mondo?

9. Ĉu la knaboj trovis sub arbo mallongajn tranĉitajn branĉojn?

10. Ĉu ili ĝoje saltis sur la branĉojn tiam vice ĵetis ilin?

11. Ĉu ĉiu laŭte kriis kaj ridis, kiam ĵetita branĉo tuŝis la fraton?

12. Ĉu ili tial ludis iom da tempo sub la tre brilanta suno?

13. Ĉu subite la pli granda knabo kaptis branĉon tenatan de la frato?

14. Ĉu li ĵetis tiun branĉon preter la arbon, preskaŭ ekster vidon?

15. La pli juna knabo laŭte plendis, ĉu ne, ke la frato ŝtelis ĝin?

16. Ĉu batoj kaj piedbatoj sekvis kaj ambaŭ knaboj laŭte ploris?

17. Ĉu la avino aŭdis kaj rapidis al la nepoj?

18. Ĉu ili venis kun la avino for de tiu loko kaj iris en sian domon?

19. Ĉu la knaboj estis promesintaj resti flanke de la domo de la avino?

20. Ĉu ŝi ordonis, ke ambaŭ restu horon ĉiu en propra lito, en sia ĉambro?

21. Kiam post horo ili venis eksteren al la avino, kion ili diris?

22. Ĉu unu rakontis songon pri si kiel reĝo en malproksima lando?

23. La alia knabo nur diris, ke li ĝuis bonan dormon, ĉu ne?

24. Ĉu tiu, kiu dormis ne songante, sentis sin en pli bona sano?

25. La avino nepre donis kuketojn kaj lakton al ambaŭ, ĉu ne?

Questions Based on Lesson 20

1. Ĉu deksepjara Heleno donis al pli juna fratino kostumon?

2. Ĉu ĝi estis tro malgranda por Heleno, sed ĝusta por Elizabeto?

3. Ĉu Elizabeto jam longe deziris tiun kostumon?

4. Ĉu la pli aĝa fratino jam aĉetis ŝtofon por fari novan kostumon?

5. Ĉu ŝi tuj komencis la kostumon, esperante baldaŭ fini ĝin?

6. Ĉu ŝi zorge eltranĉis kaj kunkudris la necesajn pecojn?

7. Ĉu kutime ŝi bone sciis, kiel fari kostumon, sed ne ĉi tiun fojon?

8. Ĉu iel ŝi malĝuste eltranĉis aŭ kunmetis la pecojn da ŝtofo?

9. Ĉu ŝia frato venis al ŝia ĉambro kun letero ĵus veninta?

10. Ĉu li vidis Helenon, en la fuŝita kostumo, starantan antaŭ spegulo?

11. Ĉu ŝi montris al li ke la manikoj kaj kolo estas malĝustaj?

12. Ĉu ŝi nomis sin stulta, priploris la malŝparon de mono kaj tempo?

13. Ĉu la frato konsilis, ke ŝi forĵetu la kostumon, se ŝi devas?

14. Ĉu li tamen invitis, ke ili iru al la urbo kaj aĉetu kostumon?

15. Ĉu tia invito faris Helenon tre feliĉa?

16. Ĉu ŝi ĉesis plori kaj faris sin preta por iri kun la frato?

17. Ĉu ili trovis bluan kostumon, kiun ŝi admiris, kaj li aĉetis ĝin?

18. Ĉu tiam ili iris en restoracion por ĝui iom da kuko kaj kafo?

19. Ĉu Heleno estis tre feliĉa kaj tion diris al la frato?

20. Ĉu li mem estas feliĉa ĉar li interrompis ŝin?

119

Questions Based on Lesson 20 (cont.)

21. Ĉu ambaŭ estis tute kontentaj pri la aĉetita kostumo?
22. En lia automobilo iranta hejmon ĉu Heleno dankis la fraton?
23. Ĉu ŝi diris ke li faris ŝin tre feliĉa, kvankam ŝi estis tiel malgaja?
24. Ĉu li diris ke li mem ĝuis la promenon kaj la aĉetadon?
25. Ĉu tial la frato kaj fratino ambaŭ estis tute kontentaj?

Questions Based on Lesson 21

1. Ĉu tiu horloĝo sur la muro marŝas? Kio estas la ĝusta horo?

2. Ĉu oni vendas ĵurnalojn ie en tiu hotelo trans la strato?

3. Ĉu vi scias pri bona laboro por lerta junulo, kiu deziras okupon?

4. Ĉu la plej multaj personoj ne havas okazon por uzi sian tutan scion?

5. Ĉiu viro deziras tiom por sia laboro, kiom lia familio bezonas, ĉu ne?

6. Ĉu ni legis pri iuj edzo kaj edzino kun kvarjara filino Suzano?

7. Ĉu afabla kuzino ilia tre amis junan Suzanon?

8. Ĉu la kuzino donacas al Suzano multajn nekonvenajn donacojn?

9. Ĉu antaŭ ne longe ŝi eĉ aĉetis katon por tiu ĉarma infanino?

10. Ĉu la kato estis bela kaj havis belan korbon kun kuseno?

11. Ĉu Suzano amis la katon kaj faris ĝin ŝia amiko?

12. Ĉu Suzano anstataŭe multe timis tiun katon?

13. Se la kato venis al Suzano, kion la knabino faris?

14. Ĉu ŝi mem pelis la katon for de si, aŭ batis ĝin?

15. Ĉu tia konduto de la filino embarasis la patron kaj patrinon?

16. Ĉu tia konduto de Suzano ĉagrenis la afablan kuzinon?

17. Ĉu la kuzino eraris, ne antaŭe demandinte, ĉu Suzano deziras katon?

18. Ĉu la patro kaj patrino eraris, ne mem montrante amon al la kato?

19. Kio okazus se nek la patrino nek la patro estus amika al katoj?

20. Ĉu la kuzino devus telefoni por konsilo pri donacoj por Suzano?

21. Ju pli multe oni parolas, des pli malfacile ĝi estas, ĉu ne?

121

Questions Based on Lesson 21 (cont.)

22. Ĉu estas facile doni konsilon al personoj kiuj ne petas ĝin?

23. Ĉu estas facile diri dankon pro konsilo kiun oni ne deziris?

24. Ĉu estas facile diri dankon pro donacoj kiujn oni ne deziris ricevi?

25. Ĉu vi kredas ke kio ajn iam povos esti farata pri ĉi tio?

Questions Based on <u>A Letter To Read</u> (p. 80)

1. Ĉu Ernesto kaj Karolo estis amikoj kiam ili estis junaj knaboj?

2. Ĉu Karolo venis al Bostono kaj skribis al Ernesto, kiu loĝas tie?

3. Kie Karolo invitas ke Ernesto vespernmanĝu kun li?

4. Ĉu li petas, ke Ernesto venu al la hotelo, kie li nun estas?

5. Ĉu Karolo venis kun la celo lerni iom pri iuj aferoj?

6. Ĉu la kompanio por kiu li laboras deziras fari icn novan?

7. Ĉu li deziras konsilon de Ernesto, inter aliaj saĝaj personaj?

8. Ĉu li ankaŭ multe deziras revidi bonan amikon?

9. Ĉu li nomas Erneston lia bona amiko el la pasinteco?

10. Ĉu li skribas iom pri pasintaj jaroj, kiam ili ambaŭ estis junaj?

11. Ĉu ili ludis kaj laboris kune en malgranda urbo?

12. Ĉu ili sendube faris multe da bruo kun la aliaj knaboj?

13. Ĉu ili havis tiel nomitajn ĉehejmajn (at home) taskojn por fari?

14. Ĉu Karolo ĉiam ricevis de Ernesto helpon pri tio?

15. Ĉu multaj knaboj (kaj knabinoj) malamas ĉehejmajn taskojn?

16. Ĉu ili ne deziras lerni tion, kion ili lernas farante tion?

17. Ĉu ili opiniis ke ili lernis sufiĉe per taskoj dum la tago?

18. Ĉu en lernejo (school) ili faras taskojn dum kvin tagoj?

19. Ĉu la knaboj ne deziras lerni tion, kio estas en hejmtaskoj?

20. Ĉu ili ne malŝparas la tempon por pensi pri lernejoj?

21. Ĉu ili forgesas, ke iliaj patroj kaj patrinoj pagas por lernejoj?

123

Questions Based on A Letter To Read (cont.)

22. Ĉu la lernejoj devus instrui sufiĉe dum la lerneja tempo?

23. Ĉu la lernantoj povus helpi, ke ĉi tio okazu?

24. Kaj lernantoj kaj instruantoj laborus pli kontente, ĉu ne?

25. Ĉu la lernantoj devus kunlabori por ĉi tiu celo?

Questions Based on
An Answering Letter (p. 83)

1. Ĉu la letero de Karolo plaĉis al la viro Ernesto?

2. Ĉu Ernesto tiam sendis leteron al sia amiko Karolo?

3. Ĉu Ernesto akceptis la inviton por ĉefmanĝo en la hotelo?

4. Ĉu Ernesto sugestis ke Karolo anstataŭe venu al lia domo?

5. Ĉu Ernesto deziris, ke lia familio konu lian amikon?

6. Ĉu Ernesto afable diris ke estos plezuro renkonti tiun amikon?

7. Ĉu la filoj deziras vidi knabecan (boyhood) amikon de sia patro?

8. Ĉu eĉ okazis, ke antaŭa amiko de la patro de Karolo nun vizitas Erneston?

9. Ĉu la vizitanto jam alveninta fakte estas la bopatro de Ernesto?

10. Ĉu vi jam lernis, ke patro de ies edzino estas ties bopatro?

11. Ĉu tial Karolo akceptis la inviton por manĝo ĉe Ernesto?

12. Ĉu Ernesto kaj tri filoj veturis al la hotelo por Karolo?

13. Ĉu ĉiu el la du viroj devos telefoni unu al la alia, se estos necese?

14. Kial tiuj du viroj ne aranĝis ĉion ĉi tion per telefono je komenco?

15. Ĉu Karolo certe ne restis multe de la tago en la hotelo?

16. Ĉu Ernesto povus esti hejme aŭ en sia oficejo la tutan tempon?

17. Ĉu Ernesto - kredu ĝin aŭ ne - jam parolis pri Karolo al la filoj?

18. Ĉu estas plezuro rigardi bildojn de la familio de amiko?

19. Ĉu kutime fiera patro havas en la poŝo bildojn de siaj infanoj?

20. Ĉu sendube Karolo havas en la poŝo tiajn bildojn?

21. Ĉu Ernesto eble (perhaps) skribis antaŭe, ke li ĝuos vidi ilin?

Questions Based on <u>An Answering Letter</u> (cont.)

22. Ĉu Ernesto saĝe diris, ke per bildoj unu familio konas alian?
23. Ĉu nuntempe ni fotografas ĉiujn parencojn (relatives) kaj amikojn?
24. Ĉu kelkaj el tiuj bildoj tre plaĉas al ni?
25. Ĉu ni bedaŭras ke tiom da bildoj estas tre malbonaj?

English - Esperanto
Words in This Grammar

about (concerning), pri

above, super

according to, laŭ

across, trans

actual, efektiva

address, adresi

admire, admiri

affair, afero

after, post

again, (prefix) re-

against, kontraŭ

age, aĝo

agreeable, agrabla

aim, celo

all, ĉiom

allow, permesi

almost, preskaŭ

alone, sola

along, laŭ

already, jam

also, ankaŭ

although, kvankam

always, ĉiam

among, inter

amuse, amuzi

and, kaj

Andrew, Andreo
another, alia
answer, respondi
apple, pomo
arm, brako
around, ĉirkaŭ
Arthur, Arturo
as, kiel
as far as, ĝis
as if, kvazaŭ
ask, demandi
at (place), ĉe; (time), je
at least, almenaŭ
automobile, aŭtomobilo
away (from), for

bachelor, fraŭlo
bag, sako
basket, korbo
be, esti
be angry (get mad), koleri
be glad, ĝoji
be well, sani
be willing, voli
beat, bati
beautiful, bela
because, ĉar
bed, lito
before, antaŭ
beg (a favor), peti
begin, comenci
behavior, konduto

behind, post

behold, jen

believe, kredi

belong, aparteni

bench, benko

Bernard, Bernardo

beside, apud

besides, krom

between, inter

beyond, preter

bird, birdo

bless, beni

blue, blua

book, libro

both, ambaŭ

both... and, kaj... kaj

botch, fuŝi

bother, ĝeni

box, skatolo

boy, knabo

branch, branĉo

break, rompi

broad, larĝa

brother, frato

brown, bruna

bruise, kontuzi

bunch, fasko

bungle, fuŝi

business, afero

but, sed

button, butono

buy, aĉeti

by, per; de; je

cake, kuko
call, voki; (by name), nomi
calm, trankvila
can (be able), povi
capture, kapti
care (for), zorgi
carry, porti
cat, kato
catch, kapti
cease, ĉesi
ceiling, plafono
certain, certa
chagrin, ĉagreni
chair, seĝo
change, ŝanĝi
Charles, Karolo
charming, ĉarma
chase away, peli
chest (large box), kesto
chief, ĉefa
child, infano
choose, elekti
city, urbo
clever, lerta
clock, horloĝo
close (shut), fermi
coffee, kafo
collect, kolekti
come, veni
command, ordoni
commence, comenci

company, kompanio

conduct, konduto; (lead) konduki

complain, plendi

conceal, kaŝi

content, kontenta

continue, daŭri

cooky, kuketo

correct, ĝusta

cost, kosti

costume, kostumo

country (fields), kamparo

cousin, kuzo

crayon, krajono

cry, krii

cup, taso

custom, kutimo

cut, tranĉi

day, tago

daydream, revo

dear, kara

defend, defendi

desire, deziri

desist, ĉesi

disappoint, ĉagreni

disturb, ĝeni

do, fari

dog, hundo

donate, donaci

door, pordo

doubt, dubi

dream, sonĝi

dress, kostumo, vesti
drink, trinki
drive away, peli
during, dum

each (one), ĉiu
each one's, ĉies
each thing, ĉio
early, frua
earth, tero
easy, facila
eat, manĝi
either... or, aŭ... aŭ
elect, elekti
Elizabeth, Elizabeto
employ, okupi
enjoy, ĝui
enough, sufiĉa
Ernest, Ernesto
error, eraro
even, eĉ
evening, vespero
ever, iam ajn
every (one), ĉiu
every one's, ĉies
every thing, ĉio
every time, ĉiam
everywhere, ĉie
exact, ĝusta
expect, atendi
eye, okulo

fabric, ŝtofo

face, vizaĝo

fall, fali

family, familio

fat, dika

father, patro

fear, timi

feather, plumo

feel, senti

festive, festa

find, trovi

fine, bela

finish, fini

firm (company), kompanio

five, kvin

floor, planko

flower, floro

fly (verb), flugi

foot, piedo; (measure), futo

follow, sekvi

for, por; (on account of), pro; (because) ĉar

for every reason, ĉial

for no reason, nenial

for some reason, ial

for what reason, kial

forget, forgesi

forgive, pardoni

forth, for

fortunate, feliĉa

four, kvar

frequently, ofte

friend, amiko

133

from, de; (from among), el
fruit, frukto
full, plena
further, plu

garden, ĝardeno
gather, kolekti
gay, gaja
gentle, milda
give, doni; (as a gift) donaci
glass, glaso
go, iri
goal, celo
good, bona
grandfather, avo
grandson, nepo
grave, grava
great, granda
green, verda
greet, saluti
group, grupo
grow, kreski

habit, kutimo
hand, mano
happen, okazi
happy, feliĉa
hardly, apenaŭ
hat, ĉapelo
have, havi
he, li
head, kapo

134

hear, aŭdi

heart, koro

heaven, ĉielo

Helen, Heleno

help, helpi

hide, kaŝi

high, alta

hit, frapi

hold, teni

home, hejmo

hope, esperi

hotel, hotelo

hour, horo

house, domo

how, kiel

how many, kiom

how much, kiom

however, tamen

hundred, cent

husband, edzo

I, mi

idea, ideo

if, ĉu; se; if... or not, ĉu... ĉu

immediately, tuj

important, grava

in, en

in every way, ĉiel

in lieu of, anstataŭ

in no way, neniel

in some way, iel

135

in what way, kiel

indeed, ja

instead of, anstataŭ

instruct, instrui

intend, intenci

interest, interesi

into, en

invite, inviti

it, ĝi

Joseph, Jozefo

journal, ĵurnalo

jump, salti

just (short time ago), ĵus

kind, afabla

king, reĝo

knock, frapi

know, scii

know (be acquainted with), koni

labor, labori

land (definite region), lando

large, granda

last (endure), daŭri

laud, laŭdi

laugh, ridi

lead (conduct), konduki

learn, lerni

leave, lasi

lesson, leciono

let, lasi

letter (correspondence), letero
lightning, fulmo
listen to, aŭskulti
live, vivi
location, loko
long, longa
look, rigardi
lose, perdi
loud, laŭta
love, ami

main, precipa
make, fari
man, viro; (species), homo
many, multaj
march, marŝi
matter, afero
meet, renkonti
merely, nur
merry, gaja
middle, mezo
mild, milda
milk, lakto
minute (of time), minuto
mirror, spegulo
Miss (young lady), fraŭlino
mistake, eraro
Mr., sinjoro
Mrs., sinjorino
moment, momento
money, mono

more, pli, plu

morning, mateno

most, plej

mouth, buŝo

move, movi

much, multa

must, devi

name, nomi

near, proksima

nearly, preskaŭ

necessary, necesa

neck, kolo

need, bezoni

neighbor, najbaro

neither... nor,   nek... nek

nephew, nevo

never, neniam

nevertheless, tamen

new, nova

newspaper, ĵurnalo

night, nokto

nine, naŭ

no, ne

no kind of, nenia

nobody, neniu

nobody's, nenies

noise, bruo

none, neniom

not, ne

nothing, nenio

now, nun

nowhere, nenie
number (serial), numero

occupy, okupi
occur, okazi
of, da, de, el
of each kind, ĉia
of which kind, kia
office (position), ofico
often, ofte
on, je, sur
one, unu; (they), oni
one's own, propra
only, sola
or, aŭ
order, ordoni
other, alia
out of, el
outside of, ekster

page, paĝo
paper, papero
pardon, pardoni
part, parto
pass, pasi
Paul, Paŭlo
pay attention to, atenti
pen, plumo
pencil, krajono
permit, permesi
person, persono
picture, bildo

piece, peco

place, loko

plate, telero

play, ludi

pleasant, agrabla

please, plaĉi

pleased, kontenta

pleasure, plezuro

pocket, poŝo

policeman, policano

polite, ĝentila

praise, laŭdi

preside, prezidi

principal, precipa

promise, promesi

proper, konvena

pull, tiri

purchase, aĉeti

purple, purpura

purpose, celo

put, meti

quick, rapida

rain, pluvi

rapid, rapida

rather, iom

read, legi

ready, preta

real, efektiva

receive, ricevi

red, ruĝa

regret, bedaŭri

rejoice, ĝoji

relate, rakonti; rilati

remain, resti

reproach, riproĉi

request, peti

reside, loĝi

restaurant, restoracio

right (correct), ĝusta, prava;
(direction), dekstra

road, vojo

rod, bastono

room, ĉambro

row (tier), vico

run, kuri

same, sama

satisfied, kontenta

save, ŝpari

say, diri

scarcely, apenaŭ

scold, riproĉi

search, serĉi

see, vidi

seem, ŝajni

self (reflexive pronoun), si

self (selves), mem

sell, vendi

seven, sep

sew, kudri

several, kelkaj

select, elekti

141

share, parto
she, ŝi
shine, brili
shoe, ŝuo
shout, krii
show, montri
shut, fermi
side, flanko
similar, simila
since, ĉar
Sir, sinjoro
sit, sidi
six, ses
skilful, lerta
sky, ĉielo
sleep, dormi
sleeve, maniko
slice, tranĉi
snow, neĝi
so, tiel
so much, tiom
some, kelka; (quantity), iom
some one, iu
some one's, ies
somehow, iel
something, io
somewhat, iom
somewhere, ie
son, filo
soon, baldaŭ
speak, paroli
stand, stari

stay, resti

steal, ŝteli

step (of stairs), ŝtupo

stick, bastono

still (yet), ankoraŭ

store (shop), butiko

street, strato

strike, bati

strong, forta

stupid, stulta

subject (theme), temo

such, tia

sudden, subita

sugar, sukero

suitable, konvena

sun, suno

Sunday, dimanĉo

sure, certa

surprise, surprizi

sweet, dolĉa

table, tablo

take, preni

task, tasko

tea, teo

teach, instrui

telephone, telefoni

tell, rakonti

ten, dek

than, ol

thank, danki

that (conjunction), ke

that (one), tiu
that one's, ties
that (thing), tio
the, la

the... the (in comparisons), ju... des
then, tiam
there, tie
therefore, tial
they, ili
thick, dika
thing, afero
think, opinii, pensi
those, tiuj
thou, ci
though, kvankam
thousand, mil
three, tri
through, tra
throw, ĵeti
thunder, tondro
thus, tiel
time, tempo; (occasion), fojo
timepiece, horloĝo
tired, laca
to, al
today, hodiaŭ
tomorrow, morgaŭ
too much, tro
top, supro
touch, tuŝi
toward, al
travel, veturi, vojaĝi

tremble, tremi
truth, vero
tumble, fali
tumbler, glaso
turn (successive time), vico
twelve, dek du
twenty, dudek
two, du

uncle, onklo
under, sub
understand, kompreni
unfailingly, nepre
until, ĝis
use, uzi

very, tre
vex, ĉagreni
visit, viziti
voice, voĉo

wait, atendi
walk, marŝi; (for pleasure), promeni
wall, muro
warm, varma
wash, lavi
water, akvo
we, ni
wear, porti
weather, vetero
week, semajno

weep, plori

what (thing), kio

when, kiam

where, kie

whether, ĉu

which, kiu

who, kiu

while, dum

whole, tuta

whose, kies

why, kial

wide, larĝa

wind, vento

window, fenestro

wise, saĝa

wish, deziri

with, kun

without, sen

wood, ligno

word, vorto

work, labori

world, mondo

write, skribi

year, jaro

yes, jes

yesterday, hieraŭ

yet, ankoraŭ

you, vi

young, juna

young lady, fraŭlino

youth, (a), junulo

Esperanto - English
Words in This Grammar
(With page where first used)

aĉeti, to buy, purchase 29

admiri, to admire 44

adresi, to address (as envelopes) 68

afabla, affable, kind 23

afero, thing, matter, affair, business 50

aĝo, age 59

agrabla, agreeable, pleasant, nice 38

ajn, ever (a particle) 40

akvo, water 38

al, to, toward 20

alia, other, another 29

almenaŭ, at least 50

alta, high 41

ambaŭ, both 68

ami, to love 53

amiko, friend 20

amuzi, to amuse 50

Andreo, Andrew 38

ankaŭ, also 41

ankoraŭ, still, yet 62

antaŭ, before 26

anstataŭ, instead of, in lieu of 32

aparteni, to belong, pertain 65

apenaŭ, hardly, scarcely 56

apud, beside 20

Arturo, Arthur 29
atendi, to wait (for), expect 37
atenti, to pay attention 68
aŭ, or 23
aŭ...aŭ, either...or 76
aŭdi, to hear 41
aŭskulti, to listen 59
automobilo, automobile 68
avo, grandfather 59

baldaŭ, soon 23
bastono, stick, rod 53
bati, to beat, strike 68
bedaŭri, to regret 44
bela, beautiful, fine 23
beni, to bless 77
benko, bench 47
Bernardo, Bernard 62
bezoni, to need 26
bildo, picture 74
birdo, bird 41
blua, blue 56
bona, good 19
brako, arm 53
branĉo, branch 71
brili, to shine 71
bruo, noise 41
bruna, brown 50
buŝo, mouth 65
butiko, store 32
butono, button 65

celo, aim, goal, purpose 77

cent, hundred 43

certa, certain, sure 50

ci, thou 70

comenci, to begin, commence 50

ĉagreni, to vex, chagrin, disappoint 77

ĉambro, room 19

ĉapelo, hat 32

ĉar, because, for, since 20

ĉarma, charming 77

ĉe, at (place) 20

ĉefa, chief 74

ĉesi, to cease, desist from 68

ĉi, a particle used with nine correlative, demonstrative words, to change remoteness to nearness 34

ĉia, of every (each) kind 37

ĉial, for every reason 37

ĉiam, always, every time 37

ĉie, everywhere 37

ĉiel, in every way 37

ĉielo, sky, heaven 68

ĉies, every (each) one's 37

ĉio, every thing, each (thing) 37

ĉiom, all, the whole quantity or amount 37

ĉirkaŭ, around 38

ĉiu, every (one), each (one) 37

ĉu, whether, also denotes question 20

ĉu... ĉu, whether... or not 76

da, of 46

danki, to thank 32

daŭri, to continue, last 53

de, of, from (also by), with, near to 29

defendi, to defend 62

dek, ten 43

dek du, twelve 43

dekstra, right (hand) 41

demandi, to ask 19

devi, to have to, must 41

deziri, desire, wish 26

dika, thick, fat 23

dimanĉo, Sunday 44

diri, to say 26

dolĉa, sweet 53

domo, house 23

donaci, to give as a gift, donate, present 56

doni, to give 26

dormi, to sleep 68

du, two 43

dubi, to doubt 53

dum, while, during 32

dudek, twenty 43

eĉ, even 59

edzo, husband 71

efektiva, actual, real 62

ekster, outside of 71

el, of, out of, from among 26

elekti, to elect, select, choose 59

Elizabeto, Elizabeth 56

en, into 23

eraro, error, mistake 74

Ernesto, Ernest 41

esperi, to hope 38
esti, to be 20

facila, easy 29
fali, to fall, tumble 32
familio, family 62
fari, to do, make 41
fasko, bunch 53
feliĉa, happy, fortunate 29
fenestro, window 26
fermi, to close, to shut 25
festa, festive 68
filo, son 23
fini, to finish 44
flanko, side 44
floro, flower 32
flugi, to fly 41
fojo, time, occasion 62
for, away (from), forth 71
forgesi, to forget 50
forta, strong 19
frapi, to hit, knock 50
frato, brother 26
fraŭlo, bachelor 62
fraŭlino, young lady, miss 62
frua, early 29
frukto, fruit 59
fulmo, lightning 68
fuŝi, to bungle, botch 74
futo, foot (measure) 50

gaja, gay, merry 59

glaso, tumbler, glass 41

granda, great, large 19

grava, grave, important 65

grupo, group 68

ĝardeno, garden 32

ĝeni, to bother, disturb 62

ĝentila, polite 26

ĝi, it 22

ĝis, as far as, until 38

ĝoji, rejoice, be glad 38

ĝui, to enjoy 47

ĝusta, exact, correct, right 53

havi, to have 26

hejmo, home 29

Heleno, Helen 56

helpi, to help 26

hieraŭ, yesterday 23

hodiaŭ, today 26

homo, man (species) 56

horo, hour 32

horloĝo, timepiece, clock 77

hotelo, hotel 77

hundo, dog 23

ial, for some reason 37

iam, at some time, ever 37

ideo, idea 59

ie, somewhere 37

iel, in some way, somehow 37

ies, some one's 37

ili, they 22

-in, suffix denoting feminine 28

infano, child 19

inter, between, among 62

instrui, to instruct, teach 59

intenci, intend 44

interesi, to interest 44

inviti, to invite 59

io, something 37

iom, some (quantity), somewhat, rather 37

iri, to go 29

iu, some (a certain) one 37

ja, indeed (emphasizing the next word or phrase) 74

jam, already 44

jaro, year 56

je, at, on, by 49

jen, behold 79

jes, yes 20

Jozefo, Joseph 20

ju... des, the... the (in comparisons) 76

juna, young 26

junulo, a youth 44

ĵeti, to throw 26

ĵurnalo, journal, newspaper 68

ĵus, just (a short time ago) 74

kafo, coffee 47

kaj, and 20

kaj... kaj, both... and 76

kamparo, country (fields) 38

kapo, head 62

kapti, capture, catch 53

kara, dear 47

Karolo, Charles 65

kaŝi, to hide, to conceal 26

kato, cat 77

ke, that (conjunction) 26

kelka, some; pl. a few, several 47

kesto, chest (large box) 56

kia, of what (which) kind 34

kial, for what reason, why 34

kiam, when, at what time 34

kie, at what place, where 34

kiel, in what way, how, as 34

kies, whose, of which one's 34

kio, what (thing) 34

kiom, what quantity, how much or how many, as much, or as many 34

kiu, who, which 34

knabo, boy 29

kolekti, to collect, gather 44

koleri, to be angry 50

kolo, neck 74

kompanio, company, firm 71

kompreni, to understand 53

konduki, conduct, lead 50

konduto, conduct, behavior 77

koni, to know (be acquainted with) 62

kontenta, pleased, content, satisfied 44

kontraŭ, against 50

kontuzi, bruise 50

konvena, suitable, proper 77

korbo, basket 50

koro, heart 62

kosti, to cost 50

kostumo, costume, dress 74

krajono, pencil, crayon 23

kredi, to believe, credit 44

kreski, to grow 59

krii, to cry, shout 71

kudri, to sew 74

kuketo, cooky 47

krom, besides, in addition to 29

kuko, cake 59

kun, (along) with 38

kuri, to run 20

kutimo, custom, habit 56

kuzo, cousin 56

kvankam, though, although 65

kvar, four 43

kvazaŭ, as if, as if it were 68

kvin, five 43

la, the 19

labori, to labor, work 32

laca, tired 38

lando, land (definite region) 68

larĝa, wide, broad 50

lakto, milk 50

lasi, to let, leave 44

laŭ, along, according to 47

laŭdi, to praise, laud 65

laŭta, loud 41

lavi, to wash 47

leciono, lesson 53

legi, to read 44

lerni, to learn 53

lerta, clever, skillful 50

letero, letter, epistle 23

li, he 22

libro, book 20

ligno, wood 65

lito, bed 29

loĝi, to live, reside, lodge 62

loko, place, location 56

longa, long 23

ludi, to play 38

mal-, prefix denoting exact opposite 22

manĝi, to eat 44

maniko, sleeve 74

mano, hand 25

marŝi, to walk, march 47

mateno, morning 32

mebli, to furnish 59

mem, self (selves) 62

meti, to put, place 41

mezo, middle 47

mi, I 22

mil, thousand 43

milda, gentle, mild 65

minuto, minute (of time) 50

momento, moment 44

monato, month 62

mondo, world 65

mono, money 56

montri, to show 26

morgaŭ, tomorrow 29

movi, to move (something) 47

multa, much; pl. many 41

muro, wall 41

najbaro, neighbor 26

naŭ, nine 43

ne, no, not 23

necesa, necessary 68

neĝi, to snow 38

nek...nek, neither--nor 76

nenia, no kind of 37

nenial, for no reason 37

neniam, at no time, never 37

nenie, at no place, nowhere 37

neniel, in no way 37

nenies, no one's, nobody's 37

nenio, nothing 37

neniom, no quantity, none, not a bit 37

neniu, nobody, no (one) 37

nepo, grandson 59

nepre, unfailingly 68

nevo, nephew 47

ni, we 22

nokto, night 68

nomi, to name, call 44

nova, new 23

numero, number (serial) 56

nun, now 23

nur, merely 32

ofico, office, position, function, post 77

ofte, often, frequently 41

ok, eight 43

okazi, to happen, occur 65

okulo, eye 56

okupi, to occupy, employ 71

ol, than 32

oni, one (they) 49

onklo, uncle 38

opinii, to think, opine 29

ordoni, to order, command 31

paĝo, page 47

papero, paper 26

pardoni, to pardon, forgive 65

paroli, to speak 19

parto, part, share 44

pasi, to pass, go by 62

patro, father 23

Paŭlo, Paul 32

peco, piece 59

peli, to drive, chase away 77

pensi, to think 59

per, by means of, by 10

perdi, to lose 29

permesi, to permit, allow 29

persono, person 62

peti, to request, ask, beg 29

piedo, foot 56

plaĉi, to please (some one), to be pleasing 65

plafono, ceiling 50

planko, floor 23

plej, most 31

plena, full 65

plendi, to complain 59

plezuro, pleasure 47

pli, more, further 31, 68

plori, to cry, weep 44

plu, more, further 31

plumo, pen (also feather) 56

pluvi, to rain 38

policano, policeman 68

pomo, apple 20

por, for 29

pordo, door 20

porti, to bear, carry, wear 53

post, after, behind 26

poŝo, pocket 56

povi, to be able, can 32

prava, right (in conduct or opinion) 59

precipa, principal, main 65

preni, to take 53

preskaŭ, almost, nearly 53

preta, ready 74

preter, beyond; past 32, 71

prezidi, to preside 71

pri, about, concerning 38

pro, on account of, for 56

proksima, near 32

promeni, to walk, ride, sail, etc. for
    pleasure 74

promesi, to promise 71

propra, (one's) own 62

purpura, purple 56

rakonti, to tell, relate 44

rapida, rapid, quick, fast 29

re-, prefix in sense of again 44

reĝo, king 71

renkonti, to meet, encounter 53

respondi, to respond, answer 28

resti, remain, stay 38

restoracio, restaurant 56

revo, reverie, daydream 74

ricevi, to receive 32

ridi, to laugh 32

rigardi, to look (at) 44

rilati, to relate, refer 56

riproĉi, reproach, scold 65

rompi, to break 50

ruĝa, red 32

saĝa, wise, sage 65

sako, sack, bag 41

salti, to jump, leap 53

saluti, to greet 62

sama, same 74

sani, to be well, in good health 62

scii, to know, know how 53

se, if 56

sed, but 26

seĝo, chair 20

sekvi, to follow 62

semajno, week 44

sen, without 59

sendi, to send 41

senti, to feel 71

sep, seven 43

serĉi, to search, hunt (for) 29
ses, six 43
si, reflexive pronoun, self 28
sidi, to sit 47
simila, similar, like 77
sinjoro, Mr., Sir, gentleman 23
signorino, Mrs. 23
skatolo, box, case 53
skribi, to write 26
sola, sole, alone, only 56
sonĝi, to dream 71
ŝpari, to save, spare 74
spegulo, mirror 74
stari, to stand 20
strato, street 38
stulta, stupid, dumb 74
sub, under 26
subita, sudden 41
sufiĉa, sufficient, enough 53
sukero, sugar 47
surprizi, to surprise 74
suno, sun 71
super, above (preposition) 62
supro, top, summit 53
sur, on 20
ŝajni, to seem 32
ŝanĝi, to change 59
ŝi, she 22
ŝpari, to save (money) 74
ŝteli, to steal, purloin 71
ŝtofo, fabric 50
ŝtupo, step (of stairs) 56
ŝuo, shoe 32

tablo, table 19

tago, day 29

tamen, however, nevertheless 53

tasko, task 77

taso, cup 47

telefoni, to telephone 56

telero, plate 47

temo, theme, topic, subject 56

tempo, time 41

teni, to hold, grasp, keep 44

teo, tea 47

tero, earth 71

tia, of that kind, such 35

tial, for that reason, therefore 35

tiam, at that time, then 35

tie, at that place, there 35

tiel, in that way, thus, so 35

ties, that one's 35

timi, to fear, to be timid 62

tio, that (thing) 35

tiom, that quantity, that much or many, as (so) much or many 35

tiri, to draw, pull, tug 68

tiu, that (one), pl. those 35

tondro, thunder 68

tra, through 23

tranĉi, to cut, slice 71

trankvila, tranquil, calm 68

trans, across 38

tre, very 29

tremi, to tremble 68

tri, three 43

trinki, to drink 47

tro, too (more than needed; not in sense of also) 44

trovi, to find 29

tuj, immediately 38

tuŝi, to touch 32

tuta, total, whole 32

unu, one 10

urbo, city 41

uzi, to use 56

varma, warm 32

vendi, to sell 77

veni, to come 23

vento, wind 68

verda, green 68

vero, truth 44

vespero, evening 32

vesti, to clothe, dress 74

vetero, weather 41

veturi, to travel 38

vi, you 22

vico, turn, rank, row 71

vidi, to see 26

vivi, to live 30

viro, man 19

vizago, face, countenance 47

viziti, to visit 38

voco, voice 41

vojaĝi, to voyage, journey, travel 65

vojo, road, way, route 62

L'Envoi

Along with the pleasure I derive from association with fellow scientists are my many warm friendships around the world with persons of various occupations who share my active interest in Esperanto. I am therefore very glad to recommend this unpretentious little work of Dr. Reed's, "An Esperanto Grammar," and to call it to the attention of colleagues in the learned professions. We could all save ourselves much time and bother if we would make more use of Esperanto than we do today. We perhaps owe it to the next generation to do so, and to leave the mounting records of our work in what they surely will consider to be usable shape; namely, in Esperanto. So I urge you--whoever you may be--to read this book and to master this simple, clear, and logical presentation of the simple, clear, and logical international auxiliary language.

Since Dr. Reed has used the conventional and thorough methods adopted by most authorities writing grammars for college use, rather than the casual approach, her style will be familiar to you. Nevertheless, she has succeeded in making the contents of this book interesting for young people and adults alike. They not only should enjoy learning to speak Esperanto, but in doing so they will inevitably improve their English and even develop some appreciation of the general rules of grammar. It is time for this approach to exert an increasing influence in schools throughout the United States, as it has already begun to do abroad.

A fellow feeling, and a common second language, would make the whole world kin!

Ralph A. Lewin, Professor
of Marine Biology

Scripps Institution of Oceanography
University of California
La Jolla, California